LA

*Née à Hillsboro (Virginie) en 1892, Pearl Buck a trois mois quand ses parents, missionnaires, l'emmènent en Chine. Elle fait ses études à Shangai, apprenant le chinois avant sa langue maternelle. Elle part ensuite compléter ses études aux Etats-Unis et retourne en Chine, où elle épouse en 1917 un missionnaire américain. Elle vit alors en Chine du Nord puis à Nankin, où elle enseigne l'anglais. La révolution l'oblige à regagner les Etats-Unis. Le divorce met fin à une union malheureuse, dont le souvenir s'exprimera dans plusieurs de ses romans.*
*En 1923 paraît le premier d'une longue série de récits consacrés à la Chine* Vent d'est, Vent d'ouest. *Le Prix Pulitzer couronne en 1932* La Terre chinoise. *De son œuvre abondante, il faut citer* Les Fils de Wang Lung *(1932),* La Famille dispersée *(1935),* L'Enfant qui ne grandit jamais *(1951).*
*Prix Nobel en 1938, Pearl Buck consacre sa fortune à une fondation pour l'adoption des enfants abandonnés. Elle est décédée en 1973.*

Dans un petit village de Chine, que n'a pas encore touché la tourmente politique et sociale, une femme, jeune encore, s'est résignée à ne connaître qu'une vie de travail et de misère. Avec son mari, sa belle-mère, les enfants que chaque année lui apporte, elle voit se dérouler une existence sans joie et sans heurt.
Un jour, le mari part pour la ville et ne revient plus. Les enfants grandissent, la vieille meurt. Le désespoir et la résignation gagnent le cœur de la mère, entrecoupés de brefs sursauts de révolte, de ruses destinées à justifier aux yeux du village l'absence prolongée du mari. Une aventure amoureuse sans lendemain achève de la convaincre qu'il n'y a pour elle désormais que le souci de nourrir et d'élever les enfants. Mais ce n'est pas la fin des humiliations et de la souffrance.
Le réalisme de Pearl Buck et une immense tendresse s'accordent ici pour retracer l'existence pathétique d'une paysanne chinoise, pareille à des millions d'autres, une existence qu'aucune joie n'illumine et qui se débat misérablement, comme il en a toujours été, tandis qu'avec les premières exécutions de communistes l'histoire semble vouloir tout changer.

ŒUVRES DE PEARL BUCK
Prix Nobel 1938

*Dans Le Livre de Poche :*

PAVILLON DE FEMMES.
PIVOINE.
UN CŒUR FIER.
VENT D'EST, VENT D'OUEST.
L'EXILÉE.
LE PATRIOTE.
LA TERRE CHINOISE.
LES FILS DE WANG LUNG.
LA FAMILLE DISPERSÉE.
IMPÉRATRICE DE CHINE.
L'ANGE COMBATTANT.
TERRE CORÉENNE.
LE ROI FANTÔME.
L'ÉPOUSE EN COLÈRE.
ES-TU LE MAÎTRE DE L'AUBE?

PEARL BUCK

# *La mère*

TRADUIT DE L'ANGLAIS PAR GERMAINE DELAMAIN

PRÉFACE DE LOUIS GILLET
DE L'ACADÉMIE FRANÇAISE

STOCK

# *PREFACE*

« *POUR vous, ma Sœur, qui avez toujours vécu avec nous, nous le savons, vous êtes des nôtres...* »

*Qui parle ? Une voix de là-bas, de ce lointain Extrême-Orient, la voix de la jeune femme qui nous murmure à l'oreille la plainte de* Vent d'Est, Vent d'Ouest : *Mme Pearl S. Buck semble née exprès pour recevoir, à l'heure de sa grande transformation, d'un si cruel enfantement, les confidences de la Chine.*

*La vie de cette jeune Américaine, totalement ignorée voilà cinq ou six ans, et aujourd'hui l'une des premières parmi les auteurs mondiaux, n'est pas le moins beau de ses romans. En 1925, à l'âge de trente-deux ans, lorsqu'elle commença d'écrire sur le bateau, pour se distraire pendant la traversée, l'admirable* Vent d'Est, *elle n'avait séjourné, en deux fois, que trois années en Amérique : deux années de jeune fille à l'Université, et puis un an de congé, après dix ans de mariage.*

*Pour cette Américaine, fille de pionniers et de pasteurs, la vraie patrie, c'était la Chine. Elle y était venue âgée de quelques mois. Son premier horizon, ce fut une colline et un fleuve, dans la campagne du Yang-Tsé ; les premiers mots qu'elle bredouilla sont ceux que lui apprit sa nourrice chinoise. Cette vieille bonne femme l'éleva sur ses genoux, l'abreuva de lait et de fables. Jusqu'à l'âge de dix-huit ans, tout l'univers de la jeune fille, celui de ses sensations d'enfance et de jeunesse, fut ce vaste et profond monde jaune. C'est là qu'elle avait grandi, vécu, appris les formes et les noms des bêtes, les couleurs des saisons, celles de l'amitié et de l'adolescence ; tout cela se confondait avec le plus profond d'elle-même. Elle parla chinois avec les servantes de la maison et la marmaille du village avant de savoir un mot d'anglais ; c'était sa langue maternelle, l'anglais ne fut qu'une langue acquise, nullement naturelle. Elle l'apprit avec la répugnance des enfants pour une chose inutile et livresque, une langue étrangère. Il lui fallut un très long temps pour se figurer qu'elle n'était pas une petite Chinoise et pour faire une différence entre les deux visages chéris qui se penchaient sur elle, et qu'elle avait connus en même temps que la lumière du jour, comme on voit à la fois, par certaines journées transparentes, la lune et le soleil flotter dans le même ciel ; le visage de sa mère blanche et la vieille figure de sa nourrice jaune.*

*Ainsi la Providence prenait soin de former cette créature exceptionnelle, disons le mot, ce miracle d'une intelligence double, d'une enfant d'Occident élevée à la chinoise, douée d'une sensibilité européenne et asiatique. En elle se mariaient deux mondes. Je ne dis pas deux races : le mélange de deux sangs est rarement une fusion heureuse, mais le plus souvent un produit hybride, combattu, où luttent deux esprits qui se déchirent. Le ciel voulut au contraire qu'elle fût d'une race très pure, homogène, sans fissure, entière, mais qu'elle baignât de bonne heure, s'imprégnât comme un fruit des sucs d'un autre terroir. Il lui interdit la surprise. Ce passage, ce choc que donne toujours à qui la franchit la porte noire de Pékin, la découverte de ce vieil empire millénaire, engourdi derrière sa muraille, l'enfant ne l'éprouva jamais ; pour elle, il n'y eut pas de muraille, nulle séparation : elle était née à l'intérieur. Elle avait grandi au foyer, auprès des cendres pieuses, des Pénates, des dieux domestiques.*

*Dès avant de naître, elle était déjà prédestinée. Elle avait une vocation. Elle appartenait à cette famille de missionnaires, de cœurs évangéliques, pour qui l'humilité n'est qu'une seule famille, la grande famille du genre humain. Elle-même épousa un pasteur. Elle était de celles qui d'avance refusent des frontières à l'amour, ignorent des obstacles à la charité, ne veulent rien savoir que l'unité des enfants de Dieu. L'éducation unique, qui fut la sienne, fit le reste.*

*Depuis tant de siècles qu'elles se connaissent, les deux moitiés du monde demeuraient séparées, plus ignorantes l'une de l'autre que l'Europe ne le fut longtemps de l'Amérique. Pour la première fois elles se rencontrent dans cette jeune femme : cette porte de la Chine, si lente à s'entrouvrir, tourne enfin : la clef s'en trouvait dans ce cœur.*

*Le tort des voyageurs qui nous renseignent sur la Chine, c'est d'être des passants, des curieux. Ils nous font part de leur étonnement. Ils croient avoir beaucoup fait de nous dépayser. A quoi bon aller si loin, si ce n'est pour s'émerveiller ? Loti l'a fait toute sa vie : il nous livre ses impressions, du reste inouïes, de touriste désespéré. Tous ses mariages pour rire avec de petites épouses exotiques n'avaient pour but que de varier par de nouveaux contacts la même expérience impuissante devant l'inconnu, la même tentative accablée devant le secret de l'Orient. Même un Lafcadio Hearn a beau abjurer l'Europe, se naturaliser nippon : il était trop tard, il ne réussit plus à dépouiller le vieil homme. Il n'est plus qu'un transfuge, un malheureux otage, rebut des foyers près desquels il était venu s'asseoir et qui refusent de l'accueillir comme un frère parmi des frères.*

*Je ne dis rien des intellectuels, expédiés en Chine grâce à des bourses de voyage, ni des sinologues, pour qui la Chine est la connaissance d'un grimoire, ni des diplomates ou des commerçants, qui ne sortent guère des concessions où ils vivent entre eux, comme en état de siège ; même un témoin passionné et militant comme Malraux n'a guère observé à Shanghaï que la lie cosmopo-*

*lite et révoltée, qu'il aurait pu voir à Belleville, à New York ou dans les quartiers populaires de Londres et de Berlin. La gangrène est partout la même. Peut-être faut-il en dire autant de ce curieux Tcheng-cheng, l'auteur du premier livre écrit en français par un Chinois, si l'on peut appeler Chinois un échappé de la Chine, un jeune homme dont les aventures seraient peu différentes, s'il s'agissait d'un bolcheviste d'avant le coup d'octobre, ou d'un spartakiste allemand de l'école de Liebknecht ou de Rosa Luxembourg.*

*Seuls, parmi les Européens, quelques vieux prêtres des missions étrangères, jésuites, capucins, lazaristes, fixés depuis quarante ans en Chine, sans esprit de retour, et n'attendant aucune récompense que d'En-Haut, pourraient nous dire quelque chose du peuple qu'ils connaissent pour l'avoir assisté dans toutes ses misères, pour partager ses habitudes et pour être témoins de sa patience et de ses vertus. Une telle science exige le don de toute la vie, et souvent ces hommes dévoués donnent la leur jusqu'au sang ; mais il est rare que l'apostolat fasse bon ménage avec la littérature.*

*C'est le privilège unique de Mme Pearl S. Buck de réaliser en elle, par une grâce spéciale, une combinaison jamais vue : une Européenne de la Chine, fille d'apôtres et apôtre elle-même, et douée enfin du plus merveilleux talent littéraire. Je prends le mot d'Europe dans son sens le plus large, comme type d'une civilisation qui embrasse aussi l'Amérique, sans oublier que l'Amérique, riveraine du Pacifique, a un intérêt de premier ordre dans les questions chinoises ; même aux Etats-Unis, il y a, sous le rapport ethnique, un problème chinois presque aussi actuel que le problème noir. L'Amérique considère, avec un mélange de crainte, de dégoût, d'admiration et de curiosité l'invasion jaune qui pullule dans les quartiers chinois de Chicago et de San Francisco. Il y a là un voisinage et une promiscuité qui permettent peu le détachement, moins encore la sérénité ; comme toujours en pareil cas, l'opinion se défend par des jugements sommaires, des partis pris, des préjugés.*

*On se fait de l'ennemi un monstre, un cauchemar. C'est le plus grand service qu'aura rendu Mme Pearl S. Buck, de dissiper ces nuées, ces mirages déformants, enfants de la légende. Ce que nous voyons du dehors, elle nous le montre du dedans, comme une réalité intime et familière, et nous sommes seulement surpris de nous y reconnaître. Cette vérité n'a d'étonnant que de cesser d'étonner. Au lieu d'un monde impénétrable et incompréhensible, nous voici en pays de connaissance : nous sommes en présence d'une humanité particulière, mais nullement étrange, et, en tout cas, ni plus baroque, ni plus mystérieuse que la nôtre. L'effet de bêtes curieuses que les Célestes font sur nous, nous apprenons que nous le produisons sur eux : eux aussi nous regardent comme des créatures bizarres et inquiétantes. A leurs yeux, les Barbares, c'est nous, et il faut convenir qu'il y a quelque apparence. Ainsi d'un bord à l'autre se répètent des sentences contraires et identiques, provenant d'une réciproque et commune ignorance.*

*Un des événements de l'histoire universelle aura été de rattacher la Chine au reste du genre humain : telle est la grandeur d'Alexandre. Depuis les travaux de Foucher, de Pelliot, de von Lecoq, plus de doute : on connaît la route par où le génie grec a pénétré jusqu'au fond de l'Orient. Les deux moitiés du monde se donnent la main. Leurs histoires, qu'on avait crues indépendantes l'une de l'autre, se développent sur le même plan. On a acquis ce fait immense : l'unité spirituelle de l'espèce humaine, l'unité de la civilisation.*

*Ce que les maîtres que je viens de citer ont fait dans le domaine de la science, une femme (c'était bien là le rôle d'une femme) l'a fait dans le domaine du cœur. Ces grands livres,* Vent d'Est, *la* Terre Chinoise, *la* Première épouse, *dès leur apparition, il y a quelques années (le premier date seulement de 1929), ont été une révélation : l'auteur, dans ses petites mains délicates et pieuses, comme on présente un bol de thé, nous apportait un monde. Dans ces hommes, ces femmes de là-bas, nous retrouvions des semblables : des cœurs, des sentiments humains. C'était la vieille Chine des antiques familles, les maisons patriciennes, les « dames de cent générations » cloîtrées au fond des cours, dans leurs robes de brocart et de satin brodées, subtiles comme des poèmes, avec leurs fards, leurs joues peintes, leurs ongles laqués, leurs gestes traditionnels, leur beauté stylisée, et qui, sous tant de noblesse et de contrainte, dissimulaient des cœurs douloureux d'épouses trahies et de mères affligées ; c'était toute la détresse et le désarroi pathétique des idées nouvelles pénétrant dans ces vieilles demeures, et venant bouleverser un ordre millénaire, qui semblait se confondre avec l'ordre de l'univers ; c'était le crépuscule des idoles vénérées, l'angoisse, le trouble, la tragédie de la vieille Chine en train de disparaître.*

*De tous ces livres, le chef-d'œuvre est probablement le dernier, celui que j'ai l'honneur de présenter au public. C'est à la fois le plus simple et le plus original. Puis-je trahir un petit secret ? Quand je portai le texte à la* Revue des Deux Mondes. *j'avoue que j'avais peu d'illusions. Que penserait le public d'un livre sans intrigue, sans anecdote, sans sujet, inflexiblement monotone, cruel, et tellement peu soucieux de piquer la curiosité que le principal personnage ni aucun de ceux qui l'entourent ne sont même pas une fois nommés. Il est difficile de pousser plus loin le renoncement, le goût du sacrifice et le dédain de la vanité. Qu'est-ce qu'un roman dont l'héroïne garde tout le temps l'incognito ? Qu'est-ce que cette femme qui ne dit pas son nom, et qui n'est que la Mère, la statue de la Maternité ?*

*Pourtant, le livre fut reçu d'emblée, et fit une impression profonde. Cette femme qui perd son mari, sa fille, puis son fils, comme une vivante dont on amputerait tous les membres l'un après l'autre, cette existence désolée qui n'est qu'un lent supplice, cette répétition invariable du malheur, cette absence de déclamation, ce ton uni, cette simplicité, cet intérêt qui vous captive dans ce manque d'aventures finissent par produire une souveraine impression de grandeur : c'est toute l'immensité de la plaine chinoise, ce labeur opiniâtre, éternel ; les choses, dans ce paysage, semblent se dérouler comme des lois de la nature, leur emprunter leur caractère d'indifférence et de nécessité. C'est la tranquillité des faits imperturbables, qu'aucune prière ne conjure. Les scènes se succèdent avec la rigueur des saisons, de la floraison, de la chute des feuilles, de l'hiver et de la mort.*

*Il y a là une égalité, une pureté de dessin que je ne trouve nulle part dans la littérature anglaise, même chez une Jane Austen, et qui me font songer aux plus beaux contes d'un Tourguéneff ou d'un Tchékov : j'allais presque dire au Tolstoï des dernières « nouvelles » telles que le* Père Serge *ou* Hadji Mourad. *En fait, rien ne ressemble davantage à ce merveilleux récit d'une paysanne, intitulé* Ma Vie. *Peut-être les grands Russes doivent-ils ce caractère à ce qu'ils ont de fatalisme et de résignation orientale. Mais peut-être aucun d'eux n'aurait-il eu l'audace de concevoir un roman si peu romanesque, un roman de quatre cents pages dont l'héroïne n'a même pas de nom. Qui oserait pousser l'esprit de pauvreté jusqu'à ce degré de dénuement et d'humilité ? Et pourtant, c'est peut-être ici le trait de génie : par là cette figure anonyme atteint la perfection la plus générale ; elle se dépouille de tout accident, de tout ce qui est individuel. Comme Ulysse, dans la caverne du Cyclope, déclare s'appeler* Outis, *c'est-à-dire Personne, ainsi l'héroïne de ce livre se confond avec la terre elle-même qu'elle représente, avec la glèbe qu'elle laboure d'un si patient courage : elle écarte toute vaine sentimentalité, comme le masque dont se couvre l'acteur lui prête une signification impersonnelle et absolue.*

Pieta *rustique, pareille à celles des calvaires bretons, aux mères douloureuses qu'on voit aux carrefours dans nos campagnes ! Ici nous pénétrons dans un monde hors du temps, ou plutôt dans un temps qui, hormis quelques endroits, couvre encore de sa nappe la surface de la terre : pour des centaines de millions de vivants, c'est toujours le Moyen Age qui continue. Ce que nous raconte ce livre, chez nous pourrait être d'hier : ce présent de la Chine, c'est notre passé de la veille. Nous nous imaginons que quelques outils, quelques appareils, quelques jouets nouveaux dont nous nous amusons suffisent à transformer le monde. Les trois quarts de l'humanité s'en passent et les ignorent. En dehors de quelques ports, où abordent les vaisseaux d'Europe, la colossale Chine n'est même pas effleurée par ces nouveautés. Dans sa masse, elle demeure encore telle qu'au XIII*e *siècle. La paysanne de ce livre pourrait être la contemporaine d'une Beauceronne ou d'une Lorraine de la guerre de Cent Ans. Elle n'est pas plus loin de nous que n'est une* *de ces aïeules. Pas un de ses sentiments qui nous soit étranger, qui ne trouve un écho, une sympathie dans notre âme. Pas une femme d'ici qui, émue de tant de souffrances, ne lui ouvre les bras et ne puisse à son tour lui adresser ce nom qui fut donné par une autre à l'auteur, en l'appelant tendrement : « Ma Sœur... ».*

LOUIS GILLET.

## CHAPITRE PREMIER

DERRIÈRE le four de terre, dans la cuisine d'une petite ferme au toit de chaume, la mère, assise sur un tabouret de bambou, alimentait d'herbes le trou du foyer où le feu brûlait sous un chaudron de fer. La flamme venait de s'élever et la mère agitait tantôt une brindille ou une poignée de feuilles, puis enfournait de nouveau quelques herbes sèches coupées par elle, l'automne dernier, au flanc de la montagne. Une vieille femme ratatinée s'était traînée dans un coin de la cuisine, le plus près possible du feu. Elle y demeurait enveloppée d'une épaisse casaque ouatée en cotonnade rouge vif, dont les bords paraissaient sous la veste bleue rapiécée. Elle était à demi aveugle. Une pénible maladie d'yeux avait presque scellé ses paupières ; mais elle voyait encore beaucoup de choses à travers les petites fentes demeurées ouvertes, et elle guettait l'éclat des flammes qui bondissaient et s'allumaient sous les doigts vigoureux et habiles de la mère. La vieille disait avec un sifflement doux qui passait entre ses gencives affaissées et sans dents : « Faites attention, lorsque vous garnissez le feu. Nous n'avons que cette seule charretée — ou bien est-ce deux ? — il faudra attendre longtemps avant que l'herbe soit bonne à couper, et me voilà comme je suis, sans doute incapable de jamais en ramasser un brin — une vieille bonne à rien, qui devrait mourir. »

Elle répétait ces derniers mots plusieurs fois par jour et attendait, chaque fois, la réponse que lui fit sa belle-fille :

« Ne dites pas cela, vieille mère ! Que ferions-nous si vous n'étiez pas là pour surveiller la porte, quand nous sommes aux champs, et empêcher les petits de tomber dans la mare ? »

La vieille femme toussa bruyamment et dit d'une voix étouffée au milieu de sa quinte :

« C'est vrai, je suis encore capable de cela. Il est bon de rester près du seuil dans ces mauvais jours où on voit partout des voleurs et des bandits. S'ils approchaient, quels cris je pousserais, ma fille ! Il n'en était pas ainsi de mon temps, j'imagine. On laissait son sarcloir dehors toute la nuit et on le retrouvait à l'aube ; l'été, nous attachions notre bête au crochet derrière la porte, et elle y était encore le lendemain matin... »

La belle-fille, malgré son petit rire et son exclamation polie : « Vraiment, ma vieille mère ? » n'écoutait pas cet incessant bavardage. Tandis que la voix fêlée continuait à discourir, la jeune femme réfléchissait au combustible. Durerait-il jusqu'à la fin des plantations de printemps, lorsqu'elle trouverait un moment pour prendre son couteau, couper de menues branches aux arbres et ramasser une broutille ou l'autre ? Cependant, à côté de l'aire qui servait de cour derrière la porte, il restait encore deux meules de paille bien rondes sous leur toit d'argile tassée qui les protégeait de la pluie et de la neige. Mais la paille de riz a trop de valeur pour être brûlée par d'autres que des citadins. La jeune mère ou son homme l'emporterait à la ville en grosses bottes attachées à une perche. En échange ils gagneraient du bel argent ; — c'est seulement là-bas qu'on fait du feu dans les maisons avec une paille aussi précieuse.

Absorbée par sa tâche, elle continuait à ajouter de l'herbe petit à petit dans le four. La lueur du feu tombait sur son visage large et vigoureux aux lèvres charnues, au teint bronzé par le vent et le soleil. Ses yeux noirs brillaient à la lumière, des yeux très limpides, enfoncés bien droits sous les sourcils. Ce visage n'était pas beau, mais il donnait une impression de bonté et aussi de passion. On songeait : Voici une femme emportée qui doit être une épouse et une mère ardente, tout en témoignant de l'affection à la pauvre femme qui habite avec elle.

Celle-ci bavardait toujours. Seule du matin au soir avec les enfants, puisque son fils et sa bru travaillaient la terre, elle se figurait, la nuit venue, avoir beaucoup à raconter à cette belle-fille qu'elle affectionnait. Des accès de toux, causés par la fumée du four, interrompaient seuls la voix poussive :

« J'ai toujours dit que lorsqu'un homme a grand-faim, surtout un gars jeune et solide comme le mien, rien ne vaut un œuf mêlé à des nouilles... »

Le timbre se fit plus aigu afin de dominer les plaintes des enfants agrippés aux épaules de leur mère, penchée sur le feu.

La jeune femme, le visage tranquille et reposé, poursuivait sa tâche avec calme ; elle semblait ignorer les grognements du petit garçon et de sa sœur, ainsi que l'éternel caquetage. Elle songeait qu'elle s'était mise en retard. Il y a tant à faire au printemps dans les champs, et elle avait voulu finir de semer le dernier rayon de haricots. Il faut profiter des journées tièdes et des douces nuits humides imprégnées de rosée. Cette nuit même la vie commencerait à sourdre au cœur des grains secs. Elle était contente à la pensée que dans l'obscurité, au fond de la terre chaude et moite, le champ tout entier serait agité d'un frémissement mystérieux. L'homme travaillait encore ; ses pieds nus pressaient le sol sur les sillons. Elle l'avait laissé, ramenée par la voix des enfants qui l'appelaient à travers les champs, et elle s'était hâtée de rentrer.

Les petits l'attendaient à la porte de la cuisine. Ils avaient faim et pleuraient. Le gamin criait sans arrêt d'une voix monotone, les yeux secs ; la fillette pleurnichait et mordillait son poing. La vieille femme, après avoir cherché en vain à les consoler, les laissait faire et, assise, les écoutait avec sérénité. La mère, sans rien dire, se dirigea rapidement vers le four. En chemin elle se baissa pour prendre une brassée de combustible. Ce geste suffit aux enfants. Le petit garçon se tut et la suivit en courant, avec toute la vigueur de ses cinq ans. Derrière lui, sa sœur se dépêchait de son mieux, mais elle avait à peine trois ans.

Le souper bouillait dans le chaudron et des nuages de vapeur odorante soulevaient le couvercle de bois. La vieille aspira fortement et mâchonna avec sa bouche vide. Sous le chaudron, des flammes bondissaient contre le fer sans trouver d'issue et s'échappaient au-dehors, où elles se transformaient en épaisse fumée qui se répandait dans la pièce étroite. La mère se recula et écarta la fillette, mais l'âcre fumée environnait déjà l'enfant, qui se mit à crier, clignant des yeux et les frottant avec ses poings sales. La jeune femme, du geste prompt et décidé qui lui était habituel, souleva la petite et la déposa au-dehors en disant :

« Reste là, ma fille. La fumée te fait mal et tu reviens toujours y fourrer la tête. »

La vieille femme prêtait l'oreille chaque fois que sa bru parlait ; cela lui fournissait l'occasion de se lancer sur un thème nouveau. Elle poursuivit :

« Oui, je me figure que si je n'avais pas dû alimenter le feu pendant tellement d'années, j'y verrais plus clair aujourd'hui. La fumée m'a perdu la vue, la fumée... »

La mère ne faisait pas attention, elle n'écoutait

que les cris de l'enfant couchée par terre, à plat ventre, qui se frottait les yeux et cherchait à les ouvrir. Ils étaient toujours rouges et envenimés ; cependant lorsqu'on s'informait : « Votre fille n'a-t-elle pas les yeux malades ? », la mère répondait : « C'est parce qu'elle s'entête à les mettre dans la fumée brûlante lorsque je fais flamber les herbes dans le four. »

Mais les pleurs de ses enfants la troublaient moins qu'autrefois. Elle était trop occupée ; les naissances se succédaient si rapprochées. Au début, elle ne pouvait entendre crier son premier-né. Il lui semblait alors qu'une mère doit toujours trouver le moyen d'apaiser son enfant, et elle interrompait n'importe quel travail pour lui donner le sein. Son mari se fâchait de ces interruptions trop fréquentes : « Vas-tu donc continuer à me mettre toute la besogne sur le dos ? Tu ne fais que commencer à enfanter, et pendant vingt ans il faudra que je supporte de te voir allaiter un gosse après l'autre ? Tu n'es pas la femme d'un riche pour te permettre de simplement porter et nourrir, en te payant des journaliers ! »

Elle riposta, sur le même ton car ils étaient jeunes tous les deux, colères et emportés. Elle lui cria :

« N'aurais-je rien pour mes peines ? Travailles-tu chargé d'un fardeau pendant plusieurs mois, comme je le fais ? Supportes-tu les douleurs de l'accouchement ? Toi, tu te reposes, quand tu rentres, mais moi j'ai à préparer la nourriture, m'occuper de l'enfant, amadouer et dorloter une vieille femme, et en prendre soin... »

Ils se disputèrent vigoureusement, sans céder ni l'un ni l'autre, en adversaires bien égaux. Mais la querelle ne dura pas longtemps. Les seins de la jeune femme tarirent vite, car elle concevait aisément, comme un animal plein de santé et de force. De nouveau elle venait de perdre son lait, et elle avait accouché prématurément l'été dernier, après s'être blessée sur la pointe de la charrue, en tombant... A présent, disait-elle, les petits devaient se débrouiller tant bien que mal et pleurer s'ils en avaient envie ; elle ne pouvait plus courir les allaiter ; c'était à eux de patienter et de régler leur faim sur ses allées et venues. Mais son cœur était plus tendre que ses paroles, et elle se hâtait toujours à l'appel de ses enfants.

Au bout de quelques minutes d'ébullition, la fumée se mélangea d'une bonne odeur de riz. La jeune femme prit le bol de l'aïeule et le remplit jusqu'au bord ; l'ayant posé sur la table de la grande pièce où ils vivaient tous, elle y conduisit sa belle-mère, sans prendre garde à son radotage : « ... des pois mêlés au riz lui donnent un goût si riche... » La vieille s'assit et prit le bol entre ses deux mains glacées et sèches. Silencieuse, elle se mit soudain à trembler de convoitise, si bien que la salive coulait aux coins de sa bouche ridée, et elle geignait :

« Où est la cuiller ?... je ne trouve pas ma cuiller ? »

La mère mit la cuiller de porcelaine dans la

main tâtonnante et sortit chercher deux petites paires de baguettes de bambou et deux bols qu'elle remplit à leur tour ; elle porta le premier à la fillette qui continuait à pleurer et à se frotter les yeux, assise dans la poussière sur le sol de l'aire. Entre ses larmes et ses doigts sales, son visage était couvert de boue. Sa mère la releva et lui essuya un peu la figure de sa main rêche et brune ; ensuite elle prit le bord de la veste rapiécée de l'enfant et lui nettoya bien doucement les yeux, car ils étaient injectés de sang, très sensibles, et le bord des paupières, à vif, se repliait en dehors ; aussi lorsque la petite détourna la tête en gémissant, avec un mouvement de douleur, la mère se laissa-t-elle aller à la pitié, troublée par cette souffrance. Elle mit le bol sur la table de bois brut, devant la maison, et dit de sa bonne grosse voix :

« Viens, mange ! »

La fillette s'avança d'un pas incertain et se cramponna à la table, ses yeux cerclés de rouge, à demi fermés pour les protéger de l'or du couchant, puis elle tendit les mains vers le bol. La mère lui cria :

« Prends garde..., c'est chaud. »

L'enfant hésita et se mit à souffler par petits coups sur sa nourriture, pour la refroidir, tandis que sa mère la regardait, encore troublée et se disant tout bas : « Quand il emportera le dernier chargement de paille à la ville je lui demanderai de passer dans une boutique de pharmacie et d'acheter du baume contre les maux d'yeux. »

Le gamin se plaignait ; il réclamait son bol. La jeune femme retourna le chercher, puis il y eut un peu de silence.

La mère se sentait trop lasse pour avoir faim ; elle poussa un gros soupir, apporta son escabeau de bambou et se reposa devant la porte. Elle respira fortement, repoussa des deux mains ses cheveux rudes roussis par le soleil et regarda autour d'elle. Les montagnes basses qui environnaient leurs terres de toutes parts noircissaient peu à peu sur le ciel jaune pâle ; au creux de la vallée, dans le petit hameau, les feux du souper s'allumaient et leur fumée s'élevait lentement à travers l'air calme. La mère se sentait satisfaite. Elle songea, tout à coup, qu'aucune des six ou sept maisons qui composaient le village ne contenait des enfants mieux soignés que les siens. Certaines femmes étaient plus riches ; celle de l'aubergiste avait sans doute un petit pécule, car elle portait deux bagues d'argent et des boucles d'oreilles semblables aux bijoux dont la mère rêvait, quand elle était jeune fille, et qu'elle n'avait jamais eus. Mieux valait cependant voir la monnaie se changer en bonne chair sur ses enfants. Ceux de l'aubergiste, prétendaient les mauvaises langues, étaient nourris des restes de viande que les clients laissaient dans les bols. La mère, elle, servait aux siens le beau riz de leurs terres, et, sauf ce mal aux yeux de la petite, ils étaient sains, bien bâtis, et se portaient parfaitement. On eût donné sept ou huit ans à l'aîné. Tous ses enfants étaient robustes et si le dernier, né trop tôt, avait vécu après son premier souffle, il serait devenu un beau petit qui s'essayerait bientôt à marcher.

Elle soupira de nouveau. Enfin le prochain naîtrait dans un mois ou deux ; elle avait donc de quoi s'occuper. Cependant elle était heureuse, plus heureuse que jamais, lorsqu'elle se trouvait enceinte et débordante de vie...

De l'autre côté de la rue, quelqu'un sortait sur le pas de sa porte ; la mère reconnut, dans l'embrasure enfumée, la femme du cousin de son mari, et lui cria :

« Vous cuisez votre souper, je viens de finir le mien ! »

Et l'autre répondit d'une voix enjouée et insouciante : « Je le pensais bien, vous avancez tellement à l'ouvrage ! »

La mère riposta avec courtoisie :

« Mais non, seulement mes enfants réclamaient, ils avaient faim.

— Vous êtes une femme capable et vive ! » s'écria de nouveau la cousine en rentrant chez elle chargée d'une brassée d'herbes. La mère demeura un instant dans la pénombre du soir. Son visage souriait à demi. Elle pouvait en vérité se sentir fière, fière de sa force, fière de ses enfants, de son homme ! Mais on ne lui laissa pas longtemps la paix. Brusquement, son fils lui tendit son bol : « D'aut' ! M'man ! »

Elle se leva, lui versa une seconde ration et, lorsqu'elle revint sur le seuil, le soleil reposait dans une dépression entre les collines, au bord du champ où elle avait travaillé tout le jour. Il reposait en suspens, comme saisi au milieu des sommets, immobile, formidable, en or massif ; puis il glissa doucement hors de vue. Dans le crépuscule, elle aperçut tout à coup son mari qui longeait le sentier en boutonnant sa veste, son sarcloir sur l'épaule, un bras levé autour du manche. Il marchait de son pas léger, souple comme un jeune chat, et soudain il se mit à chanter. C'était son plaisir ; il avait une voix haute, chevrotante et limpide, et connaissait beaucoup de chansons ; aussi les jours de fête, à la maison de thé, les lui réclamait-on pour distraire le public. A mesure qu'il approchait, il baissait le ton, murmurait à peine les paroles adaptées à un rythme rapide, mais ce fredonnement restait sur un diapason élevé et conservait la note émouvante, un peu tremblante. Il déposa son sarcloir contre le mur, ce qui réveilla la vieille, assoupie par la digestion, et elle reprit son bavardage où elle l'avait laissé :

« J'ai toujours dit que mon fils aime quelques pois mêlés à son riz, cela donne un goût si riche... »

L'homme, avec un rire léger, entra chez lui et on entendit sa voix bien timbrée répondre :

« Mais oui, ma vieille mère, bien sûr que je trouve cela bon ! »

Au-dehors, la petite fille, ayant fini de manger, restait inerte et rassasiée. Une fois le soleil disparu, elle se hasardait à ouvrir les yeux, et regardait plus aisément autour d'elle, sans se plaindre. La mère revenait de la cuisine, elle apportait à son mari un grand bol de faïence rustique, bleu et blanc, rempli jusqu'au bord ; ils possédaient quelques poules et elle avait cassé un œuf sur le riz fumant ; le blanc se coagulait déjà. Lorsque l'homme travaillait dur, il avait besoin d'un peu de viande ou d'un œuf. Malgré leurs querelles, elle éprouvait une satisfaction à le bien nourrir ; du reste ces disputes n'étaient que des lèvres, songeait-elle. Même si elle l'avait rudoyé elle prenait plaisir à le voir manger, et elle criait à sa belle-mère :

« J'ai mis un œuf frais dans le riz de votre fils, et du chou par-dessus le marché. »

La vieille l'entendit et reprit aussitôt :

« Oh oui ! un œuf frais. J'ai toujours dit qu'un œuf frais est ce qu'il y a de meilleur pour un jeune homme ; cela répare les forces. »

Mais personne n'écoutait ; le travailleur avait grand-faim, il dévorait et réclama une seconde portion, frappant son bol vide sur la table pour activer sa femme. Elle se servit en même temps, mais ne resta pas à côté de lui ; elle emporta son souper au-dehors, et assise sur son escabeau elle mangea lentement, avec la jouissance d'un être sain. De temps à autre elle se levait, prenait un peu de chou sur la part de son mari, puis elle se rasseyait et regardait le ciel rouge sombre entre les deux montagnes. Les enfants s'approchèrent ; appuyés contre elle, ils ouvraient la bouche et avec ses baguettes elle leur mettait entre les lèvres une pincée de riz qui leur paraissait bien meilleur, malgré l'apaisement de leur faim, que celui qu'ils venaient de manger. Le chien jaune lui-même s'avançait, confiant. Après s'être couché plein d'espoir sous la table du maître, chassé par un coup de pied, il avait rampé au-dehors, et vint adroitement happer les bribes que lui lançait la mère.

Par trois fois elle dut remplir le bol de son mari. Lorsqu'il eut mangé tout son saoul et grommelé de satisfaction, elle versa de l'eau bouillante à la place du riz. Il but debout devant la porte, bruyamment, par petites lampées. Lorsqu'il eut fini, il laissa sa femme prendre le bol vide et resta un instant à contempler le pays que la nuit recouvrait. Il y avait dans le ciel une nouvelle lune de printemps, mince et cristalline parmi les étoiles. Il la considéra fixement et se mit à chanter une douce complainte enveloppante.

Quelques hommes sortaient des rares maisons du hameau, les uns s'interpellaient à propos d'une partie commencée à l'auberge, les autres bâillaient ou demeuraient bouche bée sur le seuil de leurs portes. Le jeune mari interrompit subitement sa chanson et lança un regard aigu le long de la rue. Pendant que tous se reposaient, un seul homme continuait à travailler, son cousin. Assis à sa porte, la tête penchée, il resterait jusqu'à la nuit à tresser un panier avec des tiges de saule. Oui, il y avait des gens comme cela ; quant à lui... une petite partie... Il se retourna pour parler à sa femme, mais, rencontrant son regard hostile, il se sentit deviné et la maudit en silence. Quand on a travaillé tout le jour, on peut bien se divertir un peu le soir venu. Fallait-il s'user la vie ? Mais il supportait mal la vue de cet œil courroucé. Il se secoua avec une brusquerie de gosse et observa :

« Après une journée pareille... c'est bon, je vais me coucher, je suis trop fatigué pour faire la partie ce soir ! »

Il rentra, se jeta sur son lit, bâilla et s'étira. Sa vieille mère n'y voyait plus dans l'obscurité de la chambre sans lampe ; elle s'écria tout à coup :

« Mon fils est-il au lit ?

— Oui, ma mère, et que reste-t-il à faire d'autre dans ce trou désert ? s'écria-t-il, irrité : travailler et dormir, travailler et dormir.

— Oui, oui, travailler et dormir », répéta gaiement la bonne femme sans s'apercevoir du ton de colère de son fils, puis elle se dirigea à tâtons vers son grabat, dans le coin, derrière un rideau de cotonnade bleue. L'homme dormait déjà.

Lorsqu'elle entendit sa respiration, la mère se leva, suivie des enfants accrochés à sa veste. Elle rinça les bols avec un peu d'eau froide prise à la cruche de la cuisine et les posa dans l'anfractuosité du mur de terre, puis elle contourna la maison et, à la faible clarté de la lune, trempa un seau de bois dans le puits peu profond et remplit la cruche. Ensuite elle délia le buffle attaché à un des saules qui poussaient, dégingandés, sur le sol de l'aire et le nourrit de paille et de pois noircis. Lorsque la bête eut mangé, elle la mena à l'intérieur de la maison et l'attacha à un des montants du lit sur lequel l'homme dormait. Les volailles étaient déjà nichées par-dessous ; somnolentes, elles caquetèrent un peu au bruit, puis se turent.

Une dernière fois la mère sortit et appela. Du fond de l'obscurité grandissante un grognement répondit. Le cochon avait été nourri à midi ; cela suffisait, et la jeune femme se contenta de le faire rentrer à son tour en le poussant en avant. Seul le chien jaune restait au-dehors, couché sur le seuil de la porte.

Les enfants avaient suivi de leur mieux, bien que leur mère ne fît aucune attention à eux. A présent, ils se cramponnaient en pleurnichant à ses pantalons. Elle se baissa, prit la plus jeune dans ses bras, et, tenant l'aîné par la main, elle barricada l'entrée, puis elle les étendit sur le lit, près de leur père. Doucement elle retira leurs vêtements de dessus, puis les siens, se glissa entre son mari et ses enfants et s'allongea, étalant le couvre-pied sur eux tous. Elle restait étendue, tranquille, son corps vigoureux plein d'une saine lassitude. Couchée dans le noir, elle n'était plus que tendresse. Malgré ses impatiences, ses courtes colères durant la journée, sa bonté seule subsistait la nuit venue : passionnément tendre pour l'homme lorsqu'il se tournait vers elle dans son désir, tendre envers ses petits, abandonnés au sommeil, tendre aussi avec la vieille femme — n'hésitant pas à se lever la nuit si elle toussait, et à lui porter un peu d'eau — et tendre même lorsqu'elle rassurait les bêtes agitées, effrayées par leurs propres mouvements. Elle les apaisait de sa bonne voix rude :

« Restez tranquilles, dormez, le jour est loin encore. »

Dans l'obscurité, le petit garçon se nichait contre elle, cherchait son sein, bien qu'il fût tari. Elle le laissait sucer, en proie à une chaude somnolence. Cette douceur rappelait d'anciennes consolations, mais avant longtemps le lait affluerait de nouveau. De l'autre côté de son frère, la petite fille serrait ses paupières l'une contre l'autre et les frottait sans cesse, irritée de cette constante démangeaison. Assoupie, elle se griffait encore, inconsciemment.

Bientôt tous furent plongés dans un profond et lourd sommeil, dont ne les tirerait même pas l'aboiement du chien ; cela faisait partie des bruits de la nuit. La mère seule s'éveillait pour écouter, puis, si elle jugeait inutile de se déranger, elle se rendormirait aussi.

## CHAPITRE II

Les jours ne se ressemblent-ils pas tous, sous le ciel, pour une mère ? Le matin elle était éveillée et se levait avant l'aube tandis que les autres continuaient à dormir. Elle ouvrait la porte aux volailles et au cochon, conduisait le buffle dans la cour devant la maison, et balayait les ordures de la nuit qu'elle entassait au-dehors dans un coin. Puis elle allumait le feu, faisait bouillir l'eau que son mari et sa belle-mère boiraient à leur réveil, et en mettait à part, au fond d'une écuelle de bois, pour la refroidir un peu avant de laver les yeux de la petite.

Chaque matin, les paupières de l'enfant étaient solidement collées et elle n'y voyait pas avant qu'on les eût nettoyées. Au début, la mère avait partagé l'effroi de la fillette, mais la vieille grand-mère répétait de sa voix pointue :

« J'étais toute pareille à son âge, et je n'en suis pas morte ! »

Elles s'y habituaient à présent, car elles savaient que cela ne signifiait rien : une chose qui arrive aux enfants sans qu'ils en meurent ! La mère venait à peine de verser l'eau que les enfants parurent. Le petit garçon tenait sa sœur par la main, ils s'étaient faufilés hors du lit de peur de réveiller leur père, redoutant sa fureur, car malgré ses manières joviales quand il était d'humeur gaie, l'homme se mettait en colère et frappait si on lui écourtait son sommeil. Les deux petits, debout dans l'ouverture de la porte, ne disaient rien ; l'aîné clignait des yeux endormis et dévisageait sa mère en bâillant, mais la fillette, patiente, attendait les paupières closes.

La jeune femme s'avança rapidement, prit un torchon gris, accroché à une cheville de bois enfoncée dans le mur, mouilla le coin du linge et le passa lentement sur les yeux malades. L'enfant gémissait sans bruit ; elle contenait ses plaintes et sa mère se disait, comme chaque matin : « Il faut que je m'occupe de ce baume un jour ou l'autre. Si j'y songe, lorsqu'il vendra la prochaine botte de paille de riz, je lui demanderai d'aller à une boutique de pharmacie — il y en a une près de la porte de la ville, à droite, au bas d'une petite rue... »

Tandis qu'elle réfléchissait à cela, l'homme parut devant elle. Il serrait ses vêtements contre lui, bâillait très fort et se grattait la tête. Elle poursuivit tout haut ses pensées : « Lorsque tu vendras la paille de riz qui nous reste, passe donc à la boutique près de la Porte d'Eau, tu rapporteras un baume ou une drogue quelconque pour des maux d'yeux de ce genre. »

L'homme était encore aigri de sommeil, il répondit, maussade :

« Pourquoi donnerions-nous notre pauvre argent à cause d'un mal dont elle ne mourra jamais ? J'en souffrais aussi quand j'étais petit, et mon père n'a rien dépensé pour me soulager, moi, son seul fils vivant. »

La mère comprit que le moment était mal choisi pour parler de cela ; elle versa de l'eau dans le bol de l'homme, mais, vexée à son tour, elle se contenta de le poser sur la table au lieu de l'offrir. Il aurait la peine d'aller le chercher. Cependant elle ne fit aucune remarque et écarta ce sujet de son esprit. Beaucoup d'enfants sont affligés de maux d'yeux et cela passe avec l'âge. C'était le cas pour son mari. On remarquait encore les cicatrices des paupières en le regardant en face. Cela ne l'empêchait nullement d'y voir, s'il ne s'agissait pas de choses délicates. C'était moins important que pour un érudit, obligé de gagner sa vie penché sur des livres.

La grand-mère s'agita et appela d'une voix faible. Sa belle-fille lui apporta de l'eau chaude et la fit boire avant son lever ; la vieille aspira l'eau avec bruit, rota pour chasser les mauvais vents de son intérieur vide, et gémit un peu sur son âge, qui la rendait faible au matin.

La mère retourna à la cuisine et prépara le déjeuner. Les enfants attendaient, assis sur le sol, très près l'un de l'autre, dans la fraîcheur matinale. Le petit garçon se leva au bout d'un moment et rejoignit sa mère qui alimentait le feu, mais la petite resta à l'écart. Soudain, le soleil bondit au-dessus de la montagne à l'est. La lumière se répandit sur le pays en larges rayons brillants. Ils frappèrent les yeux de l'enfant, l'obligeant à les fermer bien vite. Autrefois elle eût crié, maintenant elle se contentait de respirer très fort, comme une grande personne, sans bouger, ses paupières rouges serrées l'une contre l'autre. Elle ne remua que lorsqu'elle sentit que sa mère approchait d'elle un bol de nourriture.

Il est vrai que tous les jours se ressemblaient pour la mère, mais elle n'en ressentait aucun ennui, satisfaite de leur roulement. Si on l'avait questionnée sur ce point, elle eût ouvert tout grands ses yeux noirs si vifs et répondu : « Mais le paysage change des semailles à la moisson ; puis viennent les récoltes sur nos terres, le fermage de celles que nous louons à payer en grains au propriétaire, les congés des fêtes et du nouvel an, les enfants eux-mêmes se transforment et grandissent, d'autres naissent. Je ne vois que des changements qui, je vous le promets, me forceront à travailler de l'aube à la nuit ! »

Ses rares loisirs étaient occupés par les femmes du hameau : celle-ci allait accoucher, cette autre pleurait son enfant mort, ou bien il s'agissait d'apprendre une nouvelle façon de broder une fleur sur un soulier et de tailler une veste. Certains jours aussi, le couple allait vendre des grains ou des choux en ville, et on y voyait beaucoup de curiosités qui donnent à réfléchir lorsqu'on a le temps d'y songer. Mais la mère était de celles qui se contentent de vivre auprès de leur mari et de leurs enfants, sans penser à autre chose. Pour elle, connaître dans sa plénitude la fréquente ardeur de l'homme, concevoir par lui, sentir la vie se développer dans son corps, cette nouvelle chair prendre forme et croître, donner le jour, puis avoir les lèvres du nouveau-né buvant à son sein, ces choses lui suffisaient. Se lever à l'aube, nourrir sa maisonnée, soigner les animaux, ensemencer la terre et récolter ses fruits, puiser l'eau à boire et ramasser, des journées entières, l'herbe sauvage sur la montagne, tandis qu'on est baigné de soleil et balayé par le vent ; cela lui suffisait. Elle savourait sa vie : enfanter, travailler la terre, manger, boire et dormir, balayer et mettre un peu d'ordre dans sa maison, s'entendre louer par les autres femmes pour son adresse au travail, ses talents de couture, et même se quereller avec son mari, ce qui aiguisait leur amour, autant de jouissances pour elle ; c'est pourquoi, chaque matin, elle se réveillait avec entrain.

Ce jour-là, l'homme, après avoir mangé, poussa un soupir, prit son sarcloir et se dirigea vers les champs d'un pas indécis, comme toujours, lorsqu'il allait dans cette direction. Sa femme rinça les bols, installa sa belle-mère à la chaleur du soleil et recommanda aux enfants de jouer auprès d'elle, sans s'approcher de la mare. Munie de son propre sarcloir, elle partit à son tour, s'arrêtant une ou deux fois pour regarder en arrière. Elle sourit, car la voix menue de la vieille lui parvenait, portée faiblement par la brise.

La surveillance de la porte était la seule occupation possible pour la grand-mère, et elle s'en montrait fière. Agée, à demi aveugle, elle pouvait encore apercevoir ceux qui approchaient et savoir si elle devait crier ou non. Elle devenait ennuyeuse avec les années, insupportable à soigner, et pire qu'un enfant entêté, car on ne pouvait la corriger. Cependant, un jour que la cousine observait : « Ce sera une bonne chose pour vous, maîtresse, quand l'aïeule sera morte ; si vieille, aveugle, pleine de douleurs et de misères, et sans doute capricieuse à nourrir », la mère avait répondu avec douceur, comme chaque fois qu'elle était secrètement attendrie : « Oui, mais elle nous rend bien service ; elle garde la porte et je souhaite qu'elle vive jusqu'à ce que la petite ait grandi. »

La jeune femme n'avait jamais pu se montrer dure pour cette pauvre vieille. D'autres brus se vantaient, devant elle, de la guerre qu'elles faisaient à leurs belles-mères, à cause de leur mauvais caractère. Elle considérait la sienne comme un enfant de plus, puérile, désirant ceci ou cela à la manière des gosses. C'était ennuyeux parfois au printemps, d'avoir à parcourir la montagne, à la recherche d'une plante quelconque pour satisfaire une envie sénile. Malgré cela sa belle-fille s'était réjouie lorsque, après une terrible épidémie de dysenterie qui avait coûté la vie à deux hommes robustes, à des femmes et à beaucoup d'enfants dans le hameau, elle avait vu renaître la grand-mère mourante. La vieille revenait de si loin que ses enfants lui avaient acheté le meilleur cercueil possible et le tenaient tout prêt. Mais elle était si résistante qu'elle avait usé deux costumes destinés à son ensevelissement. La mère en était heureuse. Dans le bourg cette longue vie qui ne voulait pas finir devenait sujet à plaisanterie. Selon la coutume de la contrée, l'aïeule portait, sous sa veste bleue, une casaque rouge, que sa bru lui avait faite pour l'enterrer. La vieille était parvenue à user la première, à la réduire en loques, si bien qu'incommodée elle avait dû se plaindre à la mère afin d'en obtenir une neuve, qu'elle revêtit joyeusement. Si on lui criait à présent : « Etes-vous encore de ce monde, bonne vieille ? » Elle répondait de sa petite voix flûtée : « Oui, je suis dans mes beaux vêtements mortuaires. Je les use, et qui sait combien j'en userai encore ! »

Et elle riait tout bas du comique de se voir vivre si longtemps, sans pouvoir mourir.

Ce jour-là, en se tournant, la mère sourit, car la voix âgée arrivait jusqu'à elle : « Soyez tranquille, ma bonne fille, je suis ici, je veille à l'entrée ! »

Oui, cette pauvre créature lui manquerait une fois morte. Mais les regrets sont superflus. La vie vient et s'en va à l'heure fixée, et l'on ne peut rien contre cet arrêt. C'est pourquoi la mère poursuivit tranquillement son chemin.

## CHAPITRE III

Lorsque les haricots qu'elle avait semés dans le champ fleurirent, chargeant la brise de parfums, et que la vallée fut jaune de colza, dont les graines lui fourniraient de l'huile, la mère donna naissance à son quatrième enfant. Il n'y avait pas de sage-femme au hameau, comme il s'en trouve en ville, ou même dans des villages plus importants, mais les mères s'aidaient entre elles, leur heure venue. Il y avait aussi les aïeules qui donnaient des conseils si les choses allaient mal, si un enfant se présentait de travers ou si certains détails de l'accouchement surprenaient une jeune femme. Mais la mère était bien faite, ni trop petite, ni trop mince, les muscles des cuisses flexibles ; aussi tout se passait parfaitement. Même après sa chute, lorsque l'enfant était venu trop tôt, il n'y avait eu aucune difficulté, et cela eût passé presque inaperçu sans le regret de la perte d'un enfant et tous ces ennuis inutiles.

Au moment critique, elle appelait sa cousine qui, à son tour, lui demandait le même service. Aussi, par cette douce journée éventée de printemps, lorsqu'elle sentit venir son heure, elle rentra à travers champs, posa son sarcloir contre le mur et lança un appel à la maison d'en face. La cousine accourut, s'essuyant les mains à son tablier, car elle lavait au bord de la mare. C'était une aimable et excellente femme avec une figure ronde et brune, et des narines noires qui se retroussaient au-dessus d'une large bouche rouge. Bruyante et affairée, elle parlait tout le jour à côté de son mari silencieux, et elle s'agitait en venant, riait et s'esclaffait :

« Eh bien, maîtresse, c'est une bonne chose que nous n'aboutissions pas au même moment, vous et moi. Je vous regardais et je me demandais qui de nous deux commencerait. Mais je suis plus en retard que je ne le devrais cette année, vous faites vos couches et je ne suis pas encore au terme. »

La voix forte retentissait dans le village et les femmes criaient de leur seuil :

« C'est votre heure, maîtresse, bonne chance ! Un garçon ! »

Et l'une d'elles, une veuve, bonne commère, lui lança d'un ton désolé :

« Ah ! profitez le plus possible de votre mari pendant que vous l'avez, vous me voyez faite pour enfanter moi aussi, et je suis sans homme. »

Mais la mère ne répondit pas. Elle sourit, un peu pâle sous la poussière et la sueur de son visage, et elle rentra chez elle. La vieille la suivit ;

elle bavardait et riait dans sa joie de l'événement et répétait :

« J'ai toujours dit, quand venait mon heure — et vous savez ma fille que j'ai eu neuf enfants, tous bien solides, tant qu'ils ont vécu — et j'ai toujours dit... »

La mère n'entendait pas. Elle prit un petit escabeau et s'assit en silence, repoussant de son front les mèches emmêlées, avec des mains trempées d'une sueur qui n'était pas celle des champs, mais cette nouvelle sueur de souffrance. Elle s'essuya la figure avec le bord de sa veste, défit ses longs cheveux épais et les roula plus solidement. Puis une douleur la prit, violente ; elle se pencha sans mot dire et attendit.

A côté d'elle, la vieille femme caquetait continuellement, et la cousine la plaisantait, mais, quand elle la vit se courber en deux, elle courut fermer la porte et se tint debout toute prête. Brusquement on se mit à frapper, c'était le petit garçon. En voyant cette porte fermée en plein jour et sa mère à l'intérieur, il était pris de peur et criait pour qu'on lui ouvrît. La mère commença par dire : « Laissez-le là-bas, que j'aie la paix pendant mon travail », et la cousine cria par la fente de l'huis : « Reste là, un instant, car ta mère est à sa tâche », et la vieille fit écho : « Reste là, mon petit, et je te donnerai deux sous pour acheter des pistaches si tu t'amuses bien. Tu verras ce que ta mère aura pour toi dans un instant. »

Mais le gamin, effrayé, s'obstina, et la fillette commença à pleurer, comme toujours, pour imiter son frère. Elle avança à tâtons et se mit, elle aussi, à frapper le panneau de ses poings minuscules. A la longue, la mère se mit en colère au milieu de ses douleurs, d'autant plus fort qu'elles étaient très violentes ; elle se leva, se précipita au-dehors et fouetta vigoureusement l'enfant en criant : « Oui, tu uses ma vie, tu n'obéis jamais, et en voilà un autre qui vient, tout pareil à toi, j'en jurerais ! »

L'instant d'après, elle s'attendrit ; sa colère tombée, elle dit plus doucement : « Eh bien ! entre s'il le faut, du reste il n'y a rien à voir. » Et elle se tourna vers sa cousine : « Laissez la porte entrouverte, ils se sentent loin de moi et n'y sont pas habitués. »

Puis elle se rassit et, la tête enfoncée dans ses mains, s'abandonna silencieusement à sa souffrance. Quant au petit, il entra et ne remarquant rien, sinon le regard dur que la cousine de son père faisait peser sur lui, comme s'il avait commis une mauvaise action, il sortit. Mais la fillette vint s'asseoir sur le sol de terre battue, près de sa mère, garda ses mains contre ses yeux pour les soulager.

L'attente se prolongea ; l'une des femmes restait muette, en proie aux douleurs, les deux autres, occupées des histoires du village, racontaient comment l'homme qui habitait la dernière maison passait son après-midi au jeu, pendant que le travail des champs attendait. Ce matin, sa femme et lui avaient eu une querelle terrible parce qu'il emportait tout ce qui restait d'argent. Sa femme avait eu le dessous, la pauvre créature, et, après le départ de son mari, elle était demeurée assise sur le pas de sa porte, à gémir tout haut sur ses malheurs. Chacun pouvait l'entendre, et la cousine ajouta : « Ce n'est pas comme s'il gagnait parfois et rapportait quelque chose à la maison de temps à autre. Il perd sans cesse et c'est affligeant. »

La vieille soupira et cracha par terre. « Ah ! dit-elle, quel malheur quand un homme est fait pour perdre et non pour gagner ; il y en a comme cela, je le sais bien, mais pas ici, j'en bénis les dieux, car mon fils a la chance de gagner au jeu. »

Tandis qu'elle parlait encore, la mère poussa un cri, se détourna de la petite fille et, lâchant sa ceinture, se pencha en avant sur l'escabeau. La cousine se précipita et, d'un geste adroit, saisit de ses deux mains ce petit enfant qu'elles attendaient, c'était un garçon.

La mère se coucha sur le lit et se reposa de son travail ; ce repos lui parut bon ; elle dormit longtemps, d'un sommeil lourd. De son côté, la cousine lava l'enfant, l'emmaillota et le déposa près de sa mère qui ne s'éveilla même pas au petit cri aigu poussé par son nouveau-né. La cousine retourna chez elle, à ses occupations, après avoir recommandé à la vieille femme de lui envoyer son petit-fils dès que la mère s'éveillerait.

Lorsque le gamin arriva en criant : « Savez-vous que j'ai un petit frère ? » la cousine accourut aussitôt avec un bol de bouillon, et se mit à plaisanter et à taquiner l'enfant :

« Bien sûr que je le sais, puisque je l'ai apporté moi-même ! »

Et l'enfant devint songeur, puis finit par demander :

« Mais n'est-il pas à nous pour tout à fait ? »

Les femmes éclatèrent de rire, surtout la grand-mère, émerveillée par cette jeune intelligence. La mère but le bouillon avec reconnaissance et murmura à sa cousine : « C'est votre bonne âme, ma sœur !

— N'en faites-vous pas autant pour moi, à mon heure ? » répondit-elle.

Et l'amitié des deux femmes grandit à cause de ce moment à traverser, semblable pour elles deux, et qui devait se renouveler mainte et mainte fois.

## CHAPITRE IV

Mais il y avait l'homme. Rien ne changeait à ses yeux, même avec le temps ; rien ne changerait jamais. La venue de ces enfants que sa femme chérissait ne représentait pas une chose nouvelle, car ils naissaient de la même manière, et l'un ressemblait à l'autre. Il fallait les vêtir, les nourrir ; plus tard, on les marierait, puis d'autres enfants naîtraient. Ce serait toujours pareil ; un jour ressemblerait à la veille, et il n'y avait aucune variété à espérer.

Il était né lui aussi dans ce hameau, et, en dehors de ses courses à la petite ville, au bord de l'eau, derrière le flanc de la montagne, il n'avait pas vu surgir le moindre événement pendant toute sa vie. Quand il se levait le matin, le même cercle de montagnes basses apparaissait devant lui contre un ciel uniforme ; il travaillait toute la journée, et à son retour, le soir, ces montagnes étaient encore là, contre le ciel. Il entrait dans la maison où il était né, il dormait sur le lit où, tout jeune, il couchait auprès de ses parents, jusqu'à ce que, par décence, un grabat lui eût été dressé qui servait aujourd'hui à sa vieille mère, tandis qu'il reprenait le grand lit avec sa femme et ses enfants. Et c'était le même lit et la même maison. A l'intérieur non plus, rien n'était changé. On avait simplement ajouté quelques petites choses achetées au moment du mariage : une théière, des bougeoirs ; le couvre-pied était fraîchement recouvert de bleu et un dieu tout neuf, en papier, pendait au mur. C'était le dieu des richesses ; on en avait fait un bonhomme réjoui avec des robes rouges, bleues et jaunes, mais il ne leur avait jamais apporté d'argent. Le jeune mari le regardait souvent et maudissait dans son cœur ce dieu qui continuait à considérer si joyeusement, du haut de son mur de terre, la pauvre chambre toujours aussi misérable que par le passé.

Quelquefois l'homme allait en ville, un jour férié, ou, s'il pleuvait, faisait une partie à l'auberge, en compagnie de quelques désœuvrés ; mais quand il rentrait et se retrouvait en face de cette femme qui enfantait des êtres qu'il devait nourrir par son travail, un effroi lui venait à l'idée que, tant qu'il vivrait, il ne pourrait s'attendre à autre chose : Se lever le matin, aller dans ces champs dont la plus grande partie appartenait à un propriétaire qui, au loin, jouissait de la vie en ville ; puis, la journée passée sur ces terres louées — comme le faisait son père avant lui — revenir manger la même nourriture grossière, sans oser toucher aux meilleurs produits, réservés pour la vente à des gens plus fortunés, et s'endormir pour recommencer le lendemain. Les récoltes ne lui appartenaient pas entièrement ; il fallait en prélever une partie pour le propriétaire et une autre aussi pour payer son agent. La pensée de cet agent était insupportable au jeune homme, car il représentait le citadin qu'il eût tant désiré être : vêtu de soie douce, la peau pâle, blonde, avec ce quelque chose d'onctueux qui révèle l'habitant des villes, occupé à une tâche légère, et bien nourri.

Les jours où il se sentait accablé de pensées de ce genre, il se montrait d'humeur revêche, et ne parlait à sa femme que pour maugréer contre un retard quelconque. Elle se mettait vite en colère, et il éprouvait un bizarre et malin plaisir quand une grosse querelle éclatait entre eux ; cela le soulageait ; pourtant elle avait le dessus en général, car, à moins qu'elle ne se fachât contre un enfant, elle était plus obstinée que lui. Il n'avait pas sa ténacité, même dans la rancune ; il s'en fatiguait et se lançait sur autre chose. Mais c'est surtout quand il frappait l'un des petits ou se fâchait parce qu'ils pleuraient qu'elle devenait violente. Incapable de supporter cela, furieuse, elle se dressait contre lui pour protéger l'enfant à qui elle donnait toujours raison. Et rien n'irritait autant le père que de se voir au second rang ou de se le figurer.

Dans cet état d'esprit il comptait pour rien les quelques bons petits congés qu'il s'accordait ; les fêtes et les longs jours d'hiver pendant lesquels il ne faisait que dormir ou jouer. Il avait beaucoup de chance au jeu et il rapportait plus, toujours plus qu'il ne prenait. C'eût été un moyen facile de subsistance, à condition de vivre seul et de n'avoir à songer qu'à lui-même. Il aimait le hasard du jeu, l'excitation, la gaieté ; il lui plaisait de voir les hommes se rassembler derrière lui pour admirer sa veine. Vraiment la chance coulait de ses doigts agiles, que ni la charrue ni la houe n'avaient encore raidis, car il était jeune, et à vingt-huit ans n'avait jamais travaillé plus qu'il ne le fallait.

La mère ignorait ce qui se passait dans l'âme du père de ses enfants. Elle savait qu'il affectionnait le jeu, mais où était le mal, puisqu'il ne perdait pas ? Elle était fière en vérité, quand elle entendait les autres femmes se plaindre de leurs maris qui gaspillaient, sur cette table d'auberge, les maigres gains de la terre ; elle, du moins, n'avait pas à en faire autant, et elle sourit complaisamment lorsqu'une voisine lui cria :

« Si mon pauvre misérable ressemblait seulement à votre joli mari, qui attire tout l'argent de la table de jeu, avec ses mains de fée ! Vous avez de la chance, maîtresse ! »

Aussi elle ne reprochait pas à l'homme de jouer à moins qu'ayant une querelle à vider elle ne cherchât une excuse.

Et elle ne le blâmait pas davantage d'être moins assidu qu'elle aux travaux des champs, heure après heure. Elle savait bien, même quand elle le tançait vertement en paroles, que les hommes ne peuvent jamais travailler autant que les femmes, et qu'ils conservent toute leur vie leur cœur d'enfant ; aussi elle avait pris l'habitude de se tenir à l'ouvrage pendant qu'il jetait son sarcloir et s'étendait pour dormir, une heure ou deux, sur l'herbe du sentier, qui séparait un champ de l'autre. Et si elle récriminait, par manière de parler, car au fond elle l'aimait bien, il répondait : « Oui, j'ai le droit de dormir. J'ai assez travaillé pour me nourrir moi-même. »

A cela elle aurait pu rétorquer : « N'avons-nous pas les enfants ; et chacun de nous ne doit-il pas faire son possible pour eux ? » Mais les enfants semblaient vraiment n'appartenir qu'à elle seule ; lui ne s'en occupait jamais, en sorte qu'elle gardait le silence d'autant mieux qu'elle avait la repartie moins facile.

Parfois, cependant, la fureur montait en elle si fort qu'elle ne s'exprimait plus par ses gronderies ordinaires. Une ou deux fois par saison, quelque querelle prise trop à cœur donnait à ses paroles une amertume inaccoutumée. S'il arrivait à l'homme d'acheter de stupides colifichets au marché, avec l'argent des choux qu'il venait de vendre, ou de s'enivrer un jour ordinaire, elle s'emportait au point d'oublier à peu près l'amour qu'elle lui gardait ; sa colère était si profonde, si bien ancrée, qu'elle couvait en elle et ne se déchaînait qu'au bout de quelques heures, quand l'homme, qui n'aimait pas à se souvenir de choses désagréables, avait oublié son méfait. Mais elle était incapable de se maîtriser lorsqu'un accès de fureur la prenait. Il devait éclater.

C'est ainsi qu'un jour d'automne il rentra chez lui, le doigt orné d'une bague qu'il prétendait être en or. Lorsque sa femme la vit, elle fut hors d'elle-même, et s'écria, la voix altérée, violente :

« Toi, tu refuses de prendre ta part de notre mutuelle amertume dans la vie ! Il faut que tu ailles dépenser notre maigre avoir pour mettre une stupide bague à ton petit doigt ! As-tu jamais entendu parler d'un bon et honnête homme qui, pauvre, porte une bague ? Un riche peut se le permettre sans que personne ne vienne le critiquer. Mais si c'est un pauvre, cela n'a pas bonne mine ! De l'or ! Achète-t-on une bague d'or avec de la monnaie de cuivre ? »

De l'air révolté qu'eût pris un enfant, ses lèvres rouges faisant la moue, il cria à son tour : « Je te dis que c'est de l'or ! La bague a été volée dans une maison de riche. L'homme qui me l'a vendue me l'a dit. Il la cachait sous sa veste et me l'a montrée en secret ; quand je passais dans la rue, il me l'a laissé voir. »

Mais elle le railla : « Oui, et lui a vu un bêta de paysan facile à berner. Même si c'est de l'or, qu'arrivera-t-il, si tu portes cette bague en ville ? On te prendra, on te jettera en prison comme un voleur, et que ferons-nous pour te racheter ou même te nourrir pendant que tu seras enfermé ? Passe-la-moi, que je voie si c'est de l'or. »

Il refusa de lui donner son colifichet. Il se secoua, maussade, avec un geste de gosse, et subitement elle le prit en grippe. Elle sauta sur lui, égratigna sa jolie figure douce et le battit si énergiquement qu'il en demeura frappé de stupeur et qu'arrachant la bague à son doigt, il cria avec un mélange de dédain et d'effroi. « Prends-la, je sais bien que tu es en colère parce que je l'ai achetée pour mon doigt et pas pour le tien ! »

Ces paroles l'irritèrent encore davantage, car elle s'aperçut avec stupéfaction qu'il disait vrai ; elle avait beau ne pas le montrer, elle souffrait de ne jamais recevoir de lui le moindre de ces bijoux que certains maris offrent à leurs femmes, et que l'on peut suspendre à ses oreilles ou porter à son doigt. Ce regret l'avait assaillie de nouveau à la vue de la bague d'or. Elle regarda l'homme fixement, et il répéta d'une voix brisée d'attendrissement sur lui-même et sur la dureté de sa propre existence : « Tu me reproches le plus petit agrément ; tout ce que nous avons doit passer à ces mômes que tu enfantes ! »

Il se mit à verser de vraies larmes, se jeta sur son lit et pleura assez fort pour qu'elle l'entendît. La vieille, qui avait été témoin de la querelle, eut peur ; elle se dépêcha autant qu'elle le put d'aller vers lui et le dorlota, dans sa crainte de le voir malade ; elle lançait des regards hostiles à sa belle-fille — qu'elle affectionnait d'ordinaire. Les enfants pleuraient avec leur père ; ils sentaient leur mère dure et raide.

La jeune femme n'était pas encore calmée. Elle ramassa la bague dans la poussière où il l'avait lancée et la mit entre ses dents. Elle la mordit pour se rendre compte si elle était en or comme il le prétendait. En ce cas, on pourrait la revendre et faire une excellente affaire. On donne parfois à bon compte les biens volés, mais rarement à de pareilles conditions, à moins que l'homme n'ait menti par crainte de sa femme. Le métal ne céda pas entre les fortes dents blanches, il résistait et elle s'écria, furieuse de nouveau :

« Si c'était de l'or, je le sentirais plus flexible que cela sous mes dents, ce n'est que du cuivre ! »

Elle le grignota un moment, puis cracha un peu du métal jaune précieux : « Voyez donc, la bague a été à peine trempée dans l'or ! »

La mère ne pouvait supporter l'idée que son mari se fût laissé exploiter d'une façon si puérile, et elle le quitta pour aller aux champs ; le cœur trop endurci pour prêter attention aux sanglots des enfants ou à la voix tremblante et anxieuse de l'aïeule qui disait : « Quand j'étais jeune je laissais mon homme se contenter : une femme doit permettre à son mari de jouir d'une petite chose... »

Mais la mère ne voulut rien écouter qui pût la rasséréner.

Toutefois, lorsqu'elle eut travaillé la terre un moment, la douce brise d'automne souffla dans son cœur agité et le rafraîchit à son insu. Les feuilles qui tombaient, le flanc brun des montagnes, dépouillé de la verdure de l'été, le ciel gris et le cri lointain des oies sauvages volant vers le sud, le pays paisible, toute la tranquille mélancolie de l'année finissante pénétrèrent son âme sans qu'elle s'en doutât et la rendirent de nouveau bonne. Et pendant que sa main éparpillait le blé d'hiver dans la terre molle et bien cultivée, elle redevint sereine et se souvint qu'elle aimait cet homme, dont le visage rieur lui apparut et l'émut.

Saisie de remords, elle se dit : « Je vais lui faire un plat délicat pour son repas de midi. Après tout, j'ai pris cette légère dépense trop à cœur. »

Elle se hâtait, désireuse de rentrer chez elle, de cuisiner ce plat et de prouver à l'homme combien elle était changée. Mais à son retour elle le trouva encore couché sur le lit, vexé, la figure tournée contre le mur, et obstiné dans son mutisme. Elle lui prépara son mets de prédilection, agrémenté de crevettes qu'elle pêcha dans la mare. Puis elle l'appela. Il refusa de se lever et de manger. D'une petite voix de malade, il déclara : « Je ne peux rien avaler, tes malédictions m'ont brisé l'âme ! »

Elle n'insista pas, mit son bol de côté, et continua son travail en silence, les dents serrées. Comme sa colère se ravivait, elle ne joignit pas ses instances à celles de la vieille femme qui suppliait son fils de prendre un peu de nourriture, et elle sortit. Le chien vint à elle, affamé ; elle retourna dans la cuisine et aperçut le plat dédaigné ; elle étendit le bras et murmura entre ses dents : « Je le donnerai au chien. » Mais elle en fut incapable. On ne gaspille pas ainsi la nourriture des humains. Aussi elle replaça le bol dans la niche du mur et trouva un peu de riz éventé à jeter à l'animal. Mais elle sentait persister son irritation au fond de son cœur.

Cependant, le soir venu, lorsque, étendue près de son mari dans l'obscurité, les enfants vinrent se pelotonner contre elle, d'un côté, tandis que de l'autre elle frôlait le corps de l'homme, sa colère tomba net. Elle comprit qu'il n'était, lui aussi, qu'un enfant qui dépendait d'elle, comme le reste de la maisonnée, et, au matin, elle se leva douce et tranquille. Après avoir nourri tout le monde, elle alla le trouver, l'encouragea à se lever et à manger. En la voyant ainsi, il se décida à sortir de son lit, avec lenteur, comme un convalescent, et à goûter un peu du plat qu'elle lui avait préparé la veille. Il finit par le consommer en entier, car il l'aimait particulièrement. Tandis qu'il mangeait, sa mère le considérait avec amour et, tout en le regardant, jacassait sans arrêt.

Mais il refusa de travailler ce jour-là. Quand sa femme se prépara à partir, il s'assit sur un siège au soleil dans l'embrasure de la porte, secoua faiblement la tête et déclara : « Je sens un point faible en moi, une douleur qui palpite à l'entrée de mon cœur, et je veux me reposer aujourd'hui. »

La mère, regrettant de lui avoir fait des reproches assez violents pour le mettre dans cet état, lui dit pour le calmer : « Repose-toi donc ! » et alla son chemin.

Mais après son départ il s'agita, las du constant bavardage de l'aïeule. La vieille femme devenait joyeuse à la pensée que son fils serait là tout le jour, et qu'elle pourrait lui parler, mais lui, trouvait très morne de rester assis à l'écouter et à regarder jouer les enfants.

Il se leva donc, marmotta qu'il se sentirait mieux avec un peu de thé chaud dans l'estomac, et descendit la petite rue jusqu'à l'auberge tenue par son cousin au cinquième degré. Il y rencontrerait d'autres hommes buvant leur thé et causant ; sous un auvent de toile, dans la rue, des tables seraient dressées, devant lesquelles des voyageurs s'arrêteraient peut-être en passant ; on entendrait alors d'étranges récits à propos d'une chose ou l'autre, ou bien un conteur viendrait narrer ses histoires. Vraiment l'auberge était un lieu gai et bruyant.

En route, l'homme rencontra son grave cousin qui revenait des champs pour prendre son premier déjeuner. Depuis l'aube il avait déjà travaillé un bout de terrain et il cria :

« Où vas-tu donc, loin de ton travail ? »

Et l'homme répondit d'un ton faible et geignant :

« Cette femme que j'ai m'a maudit à propos d'une petite chose que j'ai oubliée. Il n'y a rien à faire pour lui plaire ! Ses imprécations m'ont rendu tellement malade cette nuit, qu'elle-même en a été effrayée, et qu'elle m'a prié de me reposer aujourd'hui. Je vais boire un peu de thé chaud pour me réconforter l'intérieur. »

Le cousin cracha à terre et continua son chemin sans mot dire : il était silencieux de nature et ne parlait que lorsqu'il s'y voyait forcé, gardant pour lui les rares pensées qu'il pouvait avoir.

C'est ainsi que l'homme, irrité de la vie qu'il menait, croyait impossible de pouvoir supporter éternellement cette absence de nouveauté, cette roue des jours, année après année, jusqu'à la vieillesse et à la mort. Cela lui paraissait encore plus difficile après avoir écouté les quelques voyageurs qui passaient devant l'auberge, au bord de la route, parler des choses étonnantes et merveilleuses qui se trouvent au-delà du cercle des montagnes et à l'embouchure du fleuve qui coule à leur pied. Là, disaient-ils, la rivière rencontre la mer et il y a une immense cité remplie de gens de diverses teintes de peau, où l'on gagne aisément de l'argent, sans beaucoup travailler. Cette ville est pleine de maisons de jeu, et dans chacune d'elles on voit de ravissantes chanteuses ; des filles dont les hommes de ce hameau ne peuvent se faire aucune idée, et qu'ils ne contempleront jamais. Il y a des choses extraordinaires là-bas : des rues lisses comme une aire, des charrettes de plusieurs modèles, des maisons aussi hautes que des montagnes, et des magasins avec des devantures pleines de marchandises qui viennent du monde entier, amenées par bateaux, à travers les mers. Un homme peut passer son existence à admirer ces vitrines sans se lasser. On se procure aussi en ville d'excellente nourriture à profusion ; des poissons, et tous les produits de la mer. Ensuite, une fois rassasié, on a les vastes lieux de spectacles, où l'on peut voir le cinéma, et assister à des pièces de théâtre de différents genres ; les unes comiques à faire éclater votre ventre à force de rire, les autres étranges, tragiques, ou bien amusantes et grivoises. Le plus extraordinaire, c'est qu'il fait aussi clair la nuit que le jour dans cette grande cité, grâce à une sorte de lampe qu'ils ont et qui n'est pas garnie avec des mains, ni allumée à une flamme, mais à une pure lumière prise au ciel.

L'homme, de temps à autre, faisait une partie avec l'un de ces voyageurs qui, chaque fois, s'étonnait de rencontrer un joueur aussi habile dans un petit hameau de campagne.

« Mon bon garçon, lui disait-il, vous avez la veine d'un citadin ; je vous jure que vous êtes capable de jouer dans n'importe laquelle de nos maisons de plaisir. »

Le jeune mari souriait à ces paroles, puis il demandait sérieusement : « Croyez-vous en vérité que cela me serait possible ? », et il se répétait en lui-même, avec un mélange de mépris et de désir de changement : « C'est exact que personne dans ce petit coin mort n'ose plus se mesurer avec moi, et que même en ville je tiens mon bout contre qui que ce soit. »

Quand il songeait à cela, il souhaitait plus ardemment que jamais quitter cette existence, ce travail des champs, qu'il détestait ; souvent il marmottait tandis que son sarcloir se levait et s'abaissait à regret sur les mottes de terre : « Me voilà ici, jeune, joli garçon, de la chance plein les doigts et pris comme un poisson dans un puits. Je ne vois que ce rond de ciel au-dessus de ma tête — le même qu'il pleuve ou qu'il fasse beau, et dans ma maison je retrouve la même femme et un enfant qui suit l'autre, tous pleurant, braillant et demandant à manger. Pourquoi userais-je mon bon corps jusqu'à l'os pour les nourrir sans jamais pouvoir jouir de la moindre distraction dans la vie ? »

Et lorsque la mère eut conçu et enfanté ce dernier fils, le père parut maussade, mécontent d'elle, parce qu'elle concevait trop facilement et trop vite après chaque naissance. Il n'ignorait pas cependant que c'est un motif d'éloges et non de blâme pour une épouse. Il aurait pu se plaindre avec raison si elle eût été stérile, et non lorsqu'elle accouchait en bonne saison, chaque année, et le plus souvent d'un fils.

Mais la justice n'habitait pas en lui à cette époque. Il était resté enfant pour beaucoup de choses, car il avait deux ans de moins que sa femme, selon la coutume de ces contrées où l'on considère bienséant que le mari soit le plus jeune. Et une chaude indignation montait en lui ; sans se soucier d'être père et d'avoir des fils, il ne rêvait qu'à la soif des plaisirs, des spectacles curieux, et aux joies des désœuvrés, qu'il pourrait goûter dans quelque ville lointaine.

Et il semblait vraiment être de ceux que le ciel a modelés pour la joie. Bien fait, pas grand mais robuste, élancé et plein de grâce, d'ossature menue et élégante, il avait une jolie figure avec des yeux noirs, brillants et rieurs, chaque fois qu'il n'avait pas de sujet de contrariété. En bonne compagnie, il pouvait chanter une chanson nouvelle, il avait la repartie facile et spirituelle, et il savait dire de ces choses qui paraissent simples et ont un double sens d'un comique grossier, au goût des paysans. Il faisait rire une foule entière avec ses couplets et ses plaisanteries ; les hommes et aussi les femmes l'aimaient bien. Quand il entendait leurs rires, son cœur bondissait de satisfaction à sentir son pouvoir, et lorsqu'il rentrait et se retrouvait en face du visage grave et du corps massif de sa femme, il lui semblait qu'elle seule n'appréciait pas l'homme remarquable qu'il était, car elle ne le complimentait jamais. C'est vrai que chez lui il ne plaisantait plus et se montrait rarement gai, même avec ses enfants. Il était de ceux qui semblent réserver pour les étrangers toute leur bonne humeur, leur expression réjouie et aimable, sans en rien garder à la maison.

Sa femme s'en rendait compte ; elle était à la fois contrariée et peinée quand ses voisines s'écriaient :

« Je vous assure que les histoires de votre mari valent toutes les comédies ; et comme il a l'air vif et gai ! »

Elle répondait d'un air tranquille : « Oui, un homme très gai, assurément », et détournait la conversation pour cacher sa souffrance ; car elle l'aimait en secret et savait que jamais il ne serait joyeux avec elle.

Au début de l'été, après que la mère eut donné naissance à son quatrième enfant, survint la plus mauvaise querelle qui eût jamais éclaté entre le mari et la femme. C'était un jour au début de l'été, au sixième mois de l'année, un de ces jours à inspirer des visions de bonheur nouveau ; l'homme avait rêvassé toute la matinée. L'air était si plein de langueur et de douce chaleur ; les feuilles et l'herbe se teintaient d'un vert si tendre, et le ciel luisait d'un bleu si profond, qu'il avait peine à travailler. Dormir lui semblait également impossible, car la grande chaleur n'était pas encore venue et la vie palpitait autour de lui. Les oiseaux eux-mêmes chantaient et gazouillaient sans arrêt et une brise excitante, parfumée, descendait des sommets, chargée de l'odeur des lis jaunes qui fleurissent sur la montagne et de celle des glycines sauvages qui y suspendent leurs guirlandes empourprées. Le vent chassait dans le ciel les grandes vagues de nuages d'un blanc de neige, qui flottaient à travers l'étendue lumineuse et donnaient aux monts et à la vallée un extraordinaire relief de vive clarté et d'ombre intense. Le paysage était tantôt limpide, tantôt sombre ; il n'y avait de repos nulle part. C'était un jour trop joyeux pour permettre de travailler et troublant pour un cœur d'homme.

A la fin de cette belle matinée, un colporteur traversa le pays, l'épaule chargée d'une pile d'étoffes de toutes couleurs et de toutes nuances. Il allait, répétant : « Etoffes, belles étoffes à vendre ! »

Il passa devant la maison où l'homme et la femme, la vieille grand-mère et les petits-enfants prenaient leur repas de midi, assis à l'ombre de leur saule. Le marchand s'arrêta et leur cria : « Dois-je rester, maîtresse, et vous montrer mes marchandises ? »

Mais la mère répondit très fort : « Nous n'avons

pas d'argent, nous n'achèterons rien si ce n'est un bout d'étoffe bon marché, bien ordinaire, pour mon fils dernier-né. Nous ne sommes que de pauvres fermiers qui ne peuvent se payer ni habits neufs, ni étoffes, en dehors de ce qui est nécessaire afin de nous empêcher d'aller nus ! »

Et l'aïeule, qui avait toujours son mot à dire, s'écria de sa vieille petite voix pointue :

« Ah oui ! ma belle-fille a raison, et les étoffes sont mauvaises aujourd'hui ; elles se mettent en lambeaux quand on les a lavées une ou deux fois. Je me souviens qu'étant jeune j'ai porté la veste de ma grand-mère jusqu'à mon mariage, après quoi il m'a fallu du neuf, mais simplement par fierté, car la veste était encore portable. Et me voici dans mon second linceul, bientôt prête pour un troisième, tant les tissus résistent mal de nos jours. »

Le colporteur se rapprocha, flairant une vente. Il était agréable, avec l'air affable, enjôleur, spécial aux marchands ambulants, et il sut flatter la mère et avoir un mot bienveillant pour la vieille femme :

« Vieille mère, lui dit-il, j'ai ici un morceau de toile d'aussi bonne qualité que celles qu'on fabriquait autrefois, suffisamment belle, même pour ce nouveau petit-fils, que vous avez là — Maîtresse, c'est le reste d'une grande pièce qu'une dame riche m'a achetée, dans un bourg que j'ai visité aujourd'hui ; elle me l'a prise pour son fils unique. Je lui ai fait le prix véritable, puisqu'elle a entamé la pièce entière. Elle m'en a si peu laissé que je vous en ferai pour ainsi dire cadeau en l'honneur de ce beau garçon que vous avez à votre sein. »

Tout en prononçant ces mots d'une seule haleine, d'un ton coulant, le colporteur tirait de son ballot un joli morceau d'étoffe, telle qu'il l'avait décrite, et fleurie de grandes pivoines rouges sur un fond vert-pré.

La vieille femme s'exclama, heureuse d'apercevoir les teintes vives et nettes, malgré sa vue affaiblie, et la mère admirait aussi. Elle abaissa son regard sur l'enfant à son sein ; il semblait nu, malgré le vieux chiffon enroulé autour de son ventre. Vraiment, c'était un bel enfant ; le plus joli des trois. Il ressemblait à son père et il serait superbe vêtu de ce tissu à fleurs, songeait sa mère. Elle se sentit faiblir et demanda à contrecœur :

« Combien coûte-t-il ? Mais je ne puis l'acheter, car nous avons à peine de quoi nourrir ces petits, cette vieille bonne âme, et payer notre redevance au propriétaire. Il nous est impossible de nous offrir les étoffes que les femmes riches prennent pour leur fils unique. »

L'aïeule parut attristée à ces paroles, et la petite fille glissa de sa place pour approcher ses yeux à demi éteints du tissu brillant. Le petit garçon continuait à manger, indifférent, et l'homme assis fredonnait, oisif, sans se soucier de ce bout de toile, simplement destiné à un enfant !

Le colporteur baissa la voix et, pour tenter la

mère, approcha l'étoffe du bébé, pas assez cependant pour risquer une tache, au cas où il manquerait la vente.

« Une étoffe semblable — murmurait-il — cette solidité, cette couleur. Beaucoup de tissus me sont passés par les mains, mais jamais d'aussi beau que celui-ci. Si j'avais un fils, je lui aurais réservé ce coupon ; malheureusement je suis affligé d'une épouse stérile qui n'est pas digne qu'on gaspille de pareilles choses pour elle. »

L'aïeule écoutait ce boniment ; elle fut très divertie lorsque le marchand parla de sa femme stérile et s'écria : « Quel dommage, un homme si bien ! Pourquoi ne pas prendre une petite épouse, recommencer, et voir si vous aboutirez ? J'ai toujours entendu dire qu'il fallait faire trois essais avec trois femmes différentes, avant qu'un homme puisse savoir si la faute vient de lui... »

Mais la mère n'entendait rien. Incertaine, elle réfléchissait et se sentait faiblir en contemplant le bébé. Il était si beau, avec cette jolie étoffe neuve près de sa douce peau dorée et de ses joues rouges, qu'elle finit par céder et demanda : « Dites-moi votre plus bas prix, sans quoi il me serait impossible de payer. »

Le colporteur nomma un chiffre modéré, moins élevé qu'elle ne l'avait craint. Son cœur bondit de joie, mais elle secoua la tête et prit un air grave en offrant la moitié de la somme selon la coutume de la contrée, lorsqu'on marchande. C'était si peu de chose que le vendeur retira vite l'étoffe, la remit en place et fit mine de s'en aller. La mère songea à son bel enfant, et nomma un prix plus fort. Un débat s'ensuivit, et après plusieurs faux départs, le colporteur consentit à une faible diminution sur le premier chiffre. Il déposa son paquet et en retira le coupon, tandis que la mère se levait pour chercher l'argent dans le trou du mur de terre où il était serré.

Le mari n'avait pris aucune part à la discussion. Assis, sans rien faire, il chantonnait à mi-voix, modérant les notes hautes, et s'interrompait parfois pour absorber une gorgée de l'eau chaude qu'il prenait après chaque repas. Le colporteur, en garçon intelligent, prompt à tirer parti de l'instant qui passe, s'empressa d'étendre une pièce de toile sur le sol, d'un air détaché. Cette toile, fabriquée avec du lin sauvage, donne une sensation de fraîcheur à la peau par les chaudes journées d'été. Celle-ci était de la couleur du ciel, limpide et bleue comme lui. Le marchand observait l'homme à la dérobée, se demandant s'il remarquait son manège :

« Vous êtes-vous acheté une robe cet été ? lui dit-il, en riant à demi. Si non, j'ai votre affaire, et meilleur marché, je vous le jure, que dans n'importe quelle boutique en ville. »

Mais le jeune mari secoua la tête. Une expression sombre voila sa jolie figure frivole et il répondit avec amertume : « Je n'ai rien dans cette maison, pour m'acheter quoi que ce soit, je ne possède que mon travail, et plus j'en fais, plus j'ai de bouches à nourrir. Voilà tout mon profit. »

Le colporteur avait traversé bien des villes et

vu du pays. Par métier, il s'y connaissait en physionomies et il comprit vite qu'il avait devant lui un homme qui aimait le plaisir et qui, semblable à un gamin, n'était pas mûr pour la vie qu'il était forcé de mener. Il lui dit avec une apparente bonhomie, et sur un ton apitoyé : « Il est vrai que vous me semblez avoir une vie dure et, par contre, peu d'avantages. A en juger d'après votre physique élégant, c'est vraiment trop sévère. Essayez d'acheter une robe neuve, vous verrez, cela vous fera l'effet d'un bon remède efficace qui met la joie au cœur ; il n'y a rien de tel qu'une robe d'été, toute neuve, pour égayer. Revêtu de celle-ci, avec la bague que je vois à votre doigt, nettoyée et bien reluisante, vos cheveux lissés d'un peu d'huile, je vous promets qu'en ville je ne rencontrerai pas de plus bel homme que vous ! »

Le jeune mari écoutait ces paroles avec contentement ; il éclata d'un rire un peu stupide, puis, faisant un retour sur lui-même, il ajouta : « Et pourquoi ne m'offrirais-je pas une robe neuve, une fois par hasard ? Je n'ai rien à espérer en dehors de la venue de ces gosses qui se succéderont l'un après l'autre. Faudra-t-il donc que je porte mes haillons à tout jamais ? »

Il se baissa d'un mouvement rapide et tâta la bonne étoffe. Tandis qu'il l'examinait, sa vieille mère, très excitée, s'écria : « C'est une jolie pièce de toile, mon fils, et si tu dois acheter une robe, celle-ci est bien la plus jolie robe bleue que j'aie jamais vue. Je me souviens que ton père en avait une semblable — était-ce pour nos noces ? Mais non, je me suis mariée en hiver. Oui, en hiver, car j'ai tellement éternué pendant le mariage que les gens riaient d'entendre la mariée éternuer autant... »

Le jeune homme demanda brusquement, d'un ton rude : « Combien serait-ce pour une robe ? »

Au moment où le colporteur en disait le prix, la mère s'avança avec son argent en main, compté à un sou près. Effrayée, elle s'écria : « Nous ne pouvons pas dépenser davantage ! »

Son mari, en face de cette protestation, sentit se renforcer son désir, et il répondit sur un ton agressif :

« Je veux qu'on me taille une robe dans cette toile ; elle me plaît assez pour que je me la paye aujourd'hui par extraordinaire ! Nous possédons bien trois pièces d'argent, je le sais parfaitement ! »

Or ces trois pièces, de solide valeur, apportées par la jeune femme au moment de ses épousailles, lui appartenaient en propre. Sa mère les lui avait remises au moment de son départ de la maison paternelle, et elle les conservait jalousement. Jamais elle ne trouvait d'occasion légitime pour s'en séparer. Même lorsqu'il s'était agi d'acheter le cercueil de sa belle-mère qu'on croyait mourante, elle avait préféré gratter et emprunter plutôt que de dépenser son bien. Elle pensait souvent à ces trois pièces qui représentaient une richesse certaine, au cas où la vie deviendrait trop dure ; s'il surgissait une guerre, ou bien si un malheur imprévu les privait des fruits de la terre. Au moins ils ne mourraient pas de faim tout de suite grâce à cet argent caché dans le mur. Aussi elle s'écria : « Il est impossible d'y toucher ! »

L'homme se redressa et s'élança, rapide comme l'hirondelle ; furieux, il dépassa sa femme, fouilla le trou dans le mur et s'empara de l'argent. Elle le suivit, l'attrapa et chercha à le retenir, cramponnée à lui tandis qu'il courait. Mais elle ne pouvait pas lutter avec l'agilité de son mari ; il la repoussa et elle tomba sur la terre battue, tenant encore l'enfant dans ses bras. Il se sauva en criant :

« Coupez-moi douze pieds de toile et un autre pied ou davantage, par-dessus le marché, selon la coutume. »

Le colporteur se hâta de lui obéir et s'empara des trois pièces d'argent. La somme était un peu moindre que celle qu'il avait demandée, mais il désirait vendre sa marchandise et avait hâte de partir. Lorsque la mère revint enfin, il n'était plus là ; le jeune homme, debout, à l'ombre verte de l'arbre, tenait entre ses deux mains le tissu bleu, brillant et neuf, et l'argent avait disparu.

La vieille femme, craintive, restait assise. En voyant arriver sa belle-fille, elle se mit à parler très haut, à tort et à travers, d'une voix cassée : « Quel beau bleu, mon fils, et pas cher ; voilà de longs étés que tu ne portes plus de toile de lin. »

Mais l'homme, très rouge, le visage sombre, regardait sa femme d'un air mauvais et hurla avec l'audace de la colère : « Vas-tu me faire cette robe, ou faut-il que je l'emporte à une ouvrière que je payerai ; je lui dirai que tu refuses de me la coudre ! »

La mère ne répondit rien. Elle s'assit de nouveau, en silence, sur son petit tabouret, pâle et secouée par sa chute ; l'enfant, dans ses bras, pleurait encore de frayeur. Elle ne fit aucune attention à lui, le déposa sur le sol et le laissa crier à son aise pendant qu'elle tordait son chignon défait. Elle avait la respiration haletante et avala une ou deux fois sa salive avant de dire, sans regarder son mari : « Donne...-la-moi ; je la ferai. »

Elle se serait sentie humiliée de voir ce travail entre les mains d'une autre ; c'eût été dévoiler une querelle qu'on ne devinait que trop, car les voisines, sur le pas des portes, écoutaient les voix coléreuses.

Mais, à partir de ce moment, la jeune femme ne cessa de nourrir une rancune contre son mari. Elle ne prit aucun plaisir à tailler et à assembler la toile, bien qu'elle s'y appliquât de son mieux, car l'étoffe en valait la peine. Pendant tout le temps que dura le travail, elle garda un silence obstiné en face de l'homme. Jamais le moindre mot ne lui échappait à propos des menus incidents de la journée, ou de ce qui se passait dans la rue ; elle ne faisait aucune de ces remarques sur la maison, qu'expriment les femmes satisfaites. Et l'homme, en présence de cette rigueur d'attitude, devint maussade. Il ne chantait plus et, dès qu'il avait fini de manger, il allait à l'auberge, au bord du chemin, et s'y installait à boire du thé et à jouer avec les hommes jusqu'à une heure tardive de la nuit, ce qui l'obligeait à dormir plus longtemps le lendemain. En temps ordinaire, elle l'aurait grondé et tourmenté jusqu'à ce qu'il cédât, pour avoir la paix ; mais à présent elle le laissait dormir et partait seule aux champs, muette et impitoyable envers lui, quoi qu'il fît. Cependant, tandis qu'elle persévérait dans sa dureté, son cœur restait morne au-dedans d'elle.

Même quand la robe fut enfin terminée — et cela prit longtemps, car il y avait le riz à préparer et à planter — la mère n'avoua pas qu'elle lui paraissait seyante. Elle la lui donna, et il s'en revêtit, frotta sa bague avec une pierre cassée pour la rendre brillante, lissa ses cheveux, les enduisit de l'huile prise à la bouteille de la cuisine et se pavana le long de la rue.

Lorsqu'on lui lança des compliments sur sa beauté et sur l'élégance de sa robe, il n'éprouva pas le doux plaisir qu'il aurait pu en tirer. Sa femme ne lui avait rien dit. Il s'était cependant attardé un instant à la porte, mais elle n'en avait pas moins continué son travail sans lever les yeux sur lui, penchée sur le balai à manche court avec lequel elle balayait la maison.

Elle ne s'était pas demandé si la robe avait une bonne coupe, et si elle était en harmonie avec sa personne à lui, comme elle le faisait chaque fois qu'elle lui confectionnait la moindre chose, même une paire de souliers. A la longue, il s'était hasardé à observer un peu timidement :

« Il me semble que tu as réussi cette robe

mieux qu'aucune autre, elle va comme celle d'un citadin. »

Mais elle persista à tenir les yeux baissés. Elle posa le balai dans son coin, alla chercher un rouleau de coton et s'installa à filer, car elle avait épuisé sa provision de fil en cousant la robe bleue. Au bout d'un moment, elle répondit d'un ton amer :

« Au prix qu'elle m'a coûté, elle devrait ressembler à la robe d'un empereur. »

Elle avait parlé sans le regarder et ne lui jeta pas le plus léger coup d'œil à la dérobée, derrière son dos, lorsqu'il s'élança dans la rue, tant sa rancune était grande. Cependant elle savait, au fond de son cœur, combien cette robe bleue l'avantageait.

## CHAPITRE V

TOUT au long des heures, la mère attendit le retour de l'homme. Ce jour-là, les champs pouvaient être laissés à eux-mêmes ; le riz était planté dans les flaques d'eau peu profondes, et sous l'ardent soleil, les jeunes plants verts, agités par la brise légère, balançaient leurs têtes à peine formées. Il était inutile de travailler la terre ce jour-là.

La mère s'assit sous le saule, à filer, et l'aïeule vint se mettre à côté d'elle, heureuse d'avoir quelqu'un pour l'écouter. Tout en parlant, elle défit sa veste, étira sous les rayons brûlants ses vieux bras maigres et flétris, et laissa la bonne chaleur pénétrer ses os. Les enfants, nus eux aussi, couraient au soleil. La mère gardait le silence ; elle tordait le coton de son fuseau d'un geste précis entre son pouce et le doigt qu'elle humectait sur sa langue ; le fil sortait blanc et serré, et quand il était à bonne longueur, elle l'enroulait autour d'un brin de bambou poli, qui lui servait de bobine. Elle filait comme elle faisait toutes choses, bien et avec fermeté. Le fil était fort et dur au toucher. Lentement le soleil atteignit la méridienne et la mère se leva et posa sa quenouille.

« Il va bientôt rentrer, et il aura faim, malgré sa robe bleue », fit-elle sèchement, et la vieille femme répondit avec son caquetage habituel et son petit rire facile : « Oh ! oui, ce qui recouvre le ventre d'un homme n'est pas pareil à ce qui est dedans... »

La mère alla prendre une calebasse qu'elle plongea au fond du panier de riz, la nivelant de sa main libre, afin d'éviter la perte du plus petit grain ; puis elle versa ce riz dans une corbeille de minces lamelles de bambou et se dirigea vers le bord de la mare. En longeant le sentier, elle examinait la rue, mais elle n'aperçut pas la moindre silhouette bleu clair. Elle descendit la berge avec précaution pour laver son riz ; elle trempa sa corbeille dans l'eau et frotta le grain entre ses robustes mains brunes, puis elle recommença plusieurs fois, jusqu'à ce que le riz fût propre et blanc ; il luisait autant que des perles mouillées. A son retour, elle se baissa, arracha la tête d'un chou dans le carré où il poussait, lança une poignée d'herbes au buffle attaché sous un arbre, et rentra chez elle. L'aîné des enfants revenait du village : il conduisait sa sœur par la main. Sa mère lui demanda tranquillement :

« As-tu vu ton père dans la rue, ou bien à l'auberge, ou au seuil d'une maison ?

— Il est resté un moment à l'auberge ce matin

à boire du thé, répondit le petit garçon étonné. Et j'ai vu sa robe neuve, toute bleue, ajouta-t-il. Elle est très jolie ; quand notre cousin a su le prix qu'on l'avait payée, il a dit qu'elle coûtait cher à mon père.

— Pour ça oui, elle a coûté cher, je te le jure ! » dit brusquement la mère, d'un ton dur.

Et la voix flûtée de la fillette s'éleva en écho de celle de son frère : « Oui, sa robe était bleue ; même moi, j'ai pu voir qu'elle était bleue. »

La mère n'ajouta rien. Le bébé, qui dormait dans sa corbeille de vannerie, se mit à pleurer, et elle le prit, ouvrit sa veste et le tint contre son sein, l'allaitant tandis qu'elle allait préparer le repas. Mais elle cria d'abord à l'aïeule :

« Tournez-vous là où vous êtes, vieille mère, et guettez le bleu vif de sa robe. Quand vous la verrez, dites-le-moi, et je mettrai le repas sur la table.

— Vous pouvez y compter, ma fille », répondit l'aïeule d'une voix enjouée. Cependant, lorsque le riz fut cuit, floconneux, blanc et sec comme il l'aimait, l'homme n'était pas encore de retour. Quand le chou se trouva à point et que la femme eut même préparé un peu de sauce sucrée et acide pour verser sur les feuilles tendres, selon le goût de son mari, il ne vint pas.

Ils attendirent un moment, la vieille femme avait faim et se sentait faible avec cette odeur de nourriture qui lui montait aux narines ; elle s'écria dans un brusque sursaut d'irritation causé par le besoin de manger : « N'attendez plus mon fils ! L'eau me coule de la bouche et mon ventre est aussi vide qu'un tambour ; pourtant il n'arrive pas ! »

La jeune femme lui tendit son bol, donna le leur aux enfants et leur permit même de prendre un peu de chou en réservant le cœur pour leur père. Elle se servit à son tour, modérément, car elle avait moins d'appétit que de coutume. Il restait beaucoup de riz et un grand bol de chou qu'elle mit soigneusement de côté, à un endroit où le vent le tiendrait frais. Il serait aussi bon ce soir, si elle le réchauffait. Elle donna ensuite le sein au bébé ; il but tout son soûl et s'endormit : un gros enfant, rond et vigoureux, qui dormait dans la force du soleil, rouge et bruni par son ardeur ; les deux enfants s'étendirent à l'ombre du saule et s'endormirent aussi ; la vieille femme dodelina de la tête sur son banc, et la paix du sommeil, le silence du chaud midi tombèrent sur le petit village, si bien que les animaux eux-mêmes, somnolents, penchaient leurs museaux.

Seule, la mère ne dormait pas. Elle prit sa quenouille et s'assit sous un saule dont l'ombre s'étendait à l'ouest de l'aire. Elle tordit le fil et l'enroula, mais, au bout d'un moment, il lui fut impossible de travailler. Toute la matinée elle avait été assidue et calme à sa besogne ; elle filait et tournait sa bobine, mais à présent elle ne pouvait plus rester immobile. Elle sentait une étrange angoisse s'amasser, comme une force, dans son corps. Elle n'avait jamais vu son mari manquer un seul repas, et elle se dit : « Il a dû aller en ville pour jouer, ou pour une raison quelconque. »

Cette idée ne lui était pas venue encore, et plus elle y songea, plus elle lui parut vraisemblable. Au bout d'un moment, le voisin, son cousin, sortit pour aller aux champs ; bientôt après, sa femme, qui faisait la sieste sous un arbre, s'éveilla et lui cria : « Votre homme s'est-il absenté pour la journée ? »

La mère répondit d'un ton très naturel : « Mais oui, il a été en ville pour une affaire à lui », et le cousin, qui choisissait avec lenteur l'instrument qu'il voulait parmi ses sarcloirs et ses bêches, observa de sa voix mince : « Oui, je l'ai vu, joyeux dans sa robe bleue, en route pour la ville.

— Vraiment », dit la femme.

Son cœur était quelque peu allégé, et elle se remit à filer avec plus de zèle puisque le cousin avait vu son mari se diriger vers la ville. Il était allé là-bas sans doute, s'offrir une journée joyeuse ; il se jetait dans le plaisir pour se venger d'elle. C'était assez probable, avec cette robe neuve, la bague de cuivre bien astiquée, les cheveux huilés. Elle attisa sa colère avec cette pensée. Mais sa colère était morte ; elle ne put la raviver, car il s'y mêlait encore cette étrange angoisse, malgré les paroles du cousin.

L'après-midi se poursuivit, long et chaud. La vieille femme s'éveilla et cria qu'elle avait la bouche aussi sèche que de l'écorce, et la mère se leva et lui apporta du thé ; les enfants se réveillèrent aussi, à leur tour, se roulèrent dans la poussière et finirent par se lever pour jouer ; le bébé ouvrit les yeux et resta dans sa corbeille, très gai, heureux de son sommeil.

Mais la mère ne put prendre aucun repos. Elle aurait dormi si cela lui avait été possible, car, en temps ordinaire, elle s'assoupissait facilement, même pendant son travail, car elle était si saine et si forte que le sommeil s'emparait d'elle, profond et doux, sans qu'elle y songeât. Mais aujourd'hui quelque chose la rongeait au cœur, qui la tenait éveillée, comme si elle prêtait l'oreille à un son qui devait lui parvenir.

Elle se leva enfin, impatientée par son attente et lasse d'observer cette rue, déserte pour elle, tant qu'elle n'y verrait pas celui qu'elle cherchait. Elle prit l'enfant, l'installa sur sa hanche et, armée de son sarcloir, partit aux champs. Elle cria à la vieille femme : « Je vais sarcler le maïs sur le versant sud de la montagne ! » Et, en chemin, elle pensa qu'il serait moins pénible de rester en dehors de la maison ; les heures passeraient plus vite si elle forçait son corps à peiner dur.

Elle travailla tout l'après-midi, la figure protégée de l'ardeur du soleil par un mouchoir de cotonnade bleue ; elle levait et rabaissait son sarcloir sans arrêt parmi les jeunes tiges vertes du maïs. Le champ était petit et raboteux, tout le terrain propice servant aux plantations de riz ; il en poussait jusque sur des terrasses étagées au flanc de la montagne, partout où ils avaient pu amener de l'eau, car le riz est un mets plus délicat que le maïs et se vend un meilleur prix.

Le soleil se déversait sur le mont dénudé ; il frappait si fort que la veste de la femme fut bientôt trempée et noire de sueur. Mais elle ne pouvait pas prendre de repos, sauf de temps à autre lorsque le bébé criait et qu'il fallait le nourrir. Elle s'allongeait alors, par terre, à plat, donnait le sein et essuyait son visage brûlant, le regard fixé sur la lumineuse campagne d'été, sans rien voir. Lorsque l'enfant était repu, elle le laissait et se remettait à travailler jusqu'à ce que son corps lui fît mal, et que son esprit engourdi ne s'occupât plus que de mauvaises herbes qui retombaient soulevées par la pointe de son outil et qui se flétrissaient, desséchées, à la chaleur du jour. Le soleil reposa enfin au bord de l'horizon et la vallée fut brusquement plongée dans l'ombre. Alors la femme se redressa, essuya sa figure mouillée, du revers de sa veste, et murmura tout haut : « Il attend, bien sûr, à la maison, il faut que j'aille lui préparer son souper. »

Et, ramassant l'enfant qu'elle avait couché sur un lit de terre molle, elle revint chez elle.

Mais il n'était pas rentré. Lorsqu'elle contourna l'angle de la maison, elle ne l'aperçut nulle part. La vieille femme regardait anxieusement du côté des champs et les deux petits, assis sur le seuil de la porte, attendaient, fatigués. Ils crièrent en apercevant leur mère et elle leur demanda tout ahurie :

« Votre père... n'est-il pas encore là ?

— Il n'est pas venu et nous avons faim ! » s'écria le gamin, et la fillette fit écho, dans son parler enfantin et entrecoupé : « Pas venu... nous avons faim », disait-elle en fermant les yeux bien fort pour les protéger des derniers rayons dorés du soleil. La vieille femme se leva, alla clopin-clopant jusqu'à l'extrémité de l'aire et interpella d'une voix aiguë le cousin qui rentrait chez lui :

« Avez-vous rencontré mon fils ? »

Mais la mère l'arrêta vivement, impatientée :

« Taisez-vous, vieille mère. N'annoncez pas à tous qu'il est encore absent.

— Mais quand même il l'est », fit l'aïeule, troublée, cherchant à voir au loin.

La mère n'ajouta rien de plus. Elle donna du riz froid aux enfants, fit chauffer un peu d'eau qu'elle versa sur celui de la vieille femme et découvrit quelques restes à jeter au chien ; ensuite, tandis qu'ils mangeaient, elle descendit la rue, son enfant dans les bras, jusqu'à l'auberge. Elle vit peu de clients et une ou deux personnes qui s'en allaient vers leur village, tout proche ; car c'était l'heure où les hommes sont dans leurs foyers, le travail de la journée fini. Elle se dit qu'elle aurait plus de chances de trouver son mari à l'une des tables proches de la rue, d'où l'on peut voir et entendre ce qui se passe, ou bien assis, en compagnie d'un hôte, fuyant autant que possible la solitude, et certainement si l'on faisait une partie, il en serait. Mais elle eut beau regarder, elle n'aperçut nulle part la robe bleue, et elle n'entendit pas non plus le bruit des joueurs attablés. Elle s'approcha de la porte et examina l'intérieur. L'aubergiste était seul et se reposait après le repas du soir, appuyé contre le mur à côté de son four, la figure barbouillée de fumée et de graisse accumulées depuis bien des jours ; il lui paraissait inutile de se laver, car dans ce métier salissant, il redevenait noir aussitôt !

« Avez-vous vu le père de mes enfants ? » lui demanda la jeune femme.

L'aubergiste se cura les dents avec son ongle long et noir, le suça, et répondit d'un air indifférent :

« Il est resté assis là ce matin, un instant, il avait sa nouvelle robe bleue ; ensuite il est parti passer la journée en ville. »

Puis, flairant quelque commérage, il ajouta : « Quoi donc, maîtresse, serait-il arrivé quelque chose ?

— Non, rien... rien..., répondit vivement la mère. Il avait une affaire en ville qui l'aura sans doute retardé. Il passera la nuit là-bas et rentrera demain.

— Et quelle est cette affaire ? demanda l'aubergiste, soudain pris de curiosité.

— Comment le saurais-je, n'étant qu'une femme ? » répondit-elle en se détournant.

Mais, tandis qu'elle revenait chez elle, et répondait des lèvres à ceux qui l'interpellaient sur son passage, une idée lui vint. Aussitôt son retour à la maison elle entra et examina la cachette pratiquée dans le mur. Elle était vide. Elle savait qu'elle devait contenir une provision de monnaie de cuivre, assez maigre il est vrai, et une petite pièce d'argent — car un ou deux jours auparavant l'homme avait vendu de la paille de riz un bon prix, étant habile à marchander, et il avait rapporté une grande partie de la somme. Elle s'en était emparée, pour l'enfouir aussitôt au fond de ce trou où elle aurait dû être encore. Mais elle avait disparu.

Alors la mère sut que lui aussi était parti. Prise d'un éblouissement, elle en eut l'impression formelle. Elle s'assit brusquement sur le sol de terre battue, au milieu de sa maison de terre, et, son enfant dans les bras, elle se balança d'avant en arrière, lentement, en silence. Voilà bien, il était parti ! Elle restait là avec les trois enfants et la vieille femme — lui était parti !

Le bébé se mit à geindre et, sans savoir ce qu'elle faisait, elle lui présenta son sein. Les deux petits entrèrent ; la fillette pleurnichait et se frottait les yeux, et l'aïeule, appuyée sur son bâton, ne cessait de répéter : « Je me demande où est mon fils. Ma fille, mon fils a-t-il dit où il allait ? C'est une chose bien étrange que mon fils s'en soit allé... »

Alors la mère se leva et dit :

« Il sera là demain, sans doute, vieille mère. Il faut vous coucher à présent et dormir. Il reviendra demain. »

La vieille mère écouta et répéta, consolée : « Ah ! oui, il reviendra demain sans doute », puis elle traversa à tâtons la chambre obscure jusqu'à son grabat.

La mère conduisit les deux enfants dans la cour et les lava comme elle le faisait, par les nuits d'été, avant leur sommeil. Elle répandait sur chacun d'eux une pleine gourde d'eau, frottant en même temps d'une main leur peau brune et lisse jusqu'à ce qu'elle fût propre. La jeune femme n'entendait pas ce qu'ils disaient et ne prêtait aucune attention aux gémissements de la fillette qui se plaignait de ses yeux. C'est seulement en les mettant au lit, lorsque le petit garçon s'écria, étonné de l'absence de son père : « Mais où dort mon père ? » C'est seulement alors qu'elle put répondre encore étourdie : « Sans doute en ville, car il rentrera demain ou après-demain, et elle ajouta dans un mouvement de colère : il rentrera probablement quand son peu d'argent sera dépensé, et elle dit encore avec beaucoup d'amertume : Cette robe bleue sera déjà dégoûtante, à point pour que je la lave, c'est sûr ! »

Elle se réjouissait, en un certain sens, de se sentir furieuse contre lui ; elle tenait à sa colère, s'y cramponnait, car il lui semblait plus proche alors. Elle maintint son irritation tandis qu'elle rentrait l'animal et barricadait la porte pour se protéger de la nuit, et elle marmotta : « Je jurerais bien qu'à peine endormie, je l'entendrai cogner à cette porte, cette nuit même. »

Mais dans la nuit sombre, au fond de la chaude nuit tranquille et du silence de la chambre close, sa colère la quitta, et elle eut peur. Que ferait-elle s'il ne revenait pas, une femme seule et jeune ?... Le lit semblait énorme, vide. Elle n'avait pas besoin de se gêner ce soir, elle pouvait étendre ses bras et ses jambes autant qu'elle le voulait.

Il était parti. Un désir subit, brûlant, s'empara d'elle pour cet homme qui était le sien. Depuis six ans elle dormait contre lui. Il avait beau l'irriter dans la journée, le soir elle se retrouvait à côté de lui et elle oubliait qu'il était paresseux et plein d'enfantillages. Maintenant, elle se souvint combien il était joli garçon et agréable à regarder ; il n'avait pas la bouche grossière, ni l'haleine forte, comme la plupart des hommes ; il était charmant, avec des dents aussi blanches que du riz. Elle demeura étendue, le désirant ; toute sa colère partie et le désir seul restant.

Au matin, elle se leva ; elle était lasse de son insomnie, et son cœur se ferma de nouveau. Quand elle ne vit pas arriver son mari après qu'elle eut fait sortir les animaux et donné à manger aux enfants et à la grand-mère, elle se raidit et grommela entre ses dents : « Il reviendra quand son argent sera dépensé ; je sais très bien qu'il rentrera alors. »

Le petit garçon regarda le lit vide et lorsqu'il demanda, étonné : « Où est resté mon père ? » Elle répondit d'une voix cassante et subitement très forte : « Je dis qu'il est absent pour un ou deux jours ; si l'on te questionne dans la rue, réponds qu'il est parti pour un ou deux jours. »

Cependant, après que les enfants se furent éloignés pour jouer, elle n'alla pas aux champs. Elle installa son escabeau de manière à pouvoir observer tous ceux qui passaient dans l'unique petite rue du hameau. Pendant qu'elle répondait n'importe comment au bavardage de sa belle-mère, elle se disait que la robe bleue était d'un ton si limpide qu'elle la verrait apparaître de très loin, et elle se mit à filer ; entre chaque torsion du fil, elle lançait un coup d'œil le long de la rue. Elle comptait en elle-même l'argent qu'il avait emporté et calcula le temps que cette somme pourrait lui durer. Pas plus de six ou sept jours, lui sembla-t-il ; à moins qu'avec sa chance au jeu, ses doigts agiles, il n'arrivât à l'augmenter et à prolonger un peu son absence. A mesure que la matinée s'avançait, elle avait peine, par moments, à supporter l'incessant babillage de la vieille femme, mais elle patientait, car elle espérait peut-être voir revenir son mari.

Lorsque les enfants s'acheminèrent à la maison vers midi, ils avaient faim, et le petit garçon découvrit le bol de chou mis de côté pour son père ; il en réclama et sa mère le lui refusa. Elle le frappa très fort, quand il insista et cria :

« Non, c'est pour ton père. S'il rentre ce soir, il aura faim et le voudra tout pour lui. »

Le long après-midi d'été se poursuivit, tranquille, mais il ne revint pas ; le soleil se coucha comme toujours, lourd et plein de lumière dorée ; la vallée en fut éclairée quelques instants, puis la nuit vint, sombre et profonde, et la mère céda. Elle posa le bol devant les enfants et leur dit : « Mangez ce que vous voudrez, car ce sera gâté si on le garde un jour de plus, et qui sait... », elle prit un peu de la sauce sucrée et acide qu'elle donna à la vieille femme en disant : « Prenez-la, j'en ferai de la fraîche, s'il revient demain.

— Viendra-t-il donc demain ? » demanda l'aïeule.

Et la mère répondit d'un air sombre :

« Oui, peut-être demain. »

Ce soir-là, elle se coucha très triste ; et elle eut peur dans son lit et s'avoua franchement à elle-même que personne ne savait s'il reviendrait jamais.

Cependant elle mettait son espoir dans ces sept jours qui devaient, espérait-elle, le laisser sans ressources. Ils s'écoulèrent un à un, tous les sept, et chacun d'eux lui parut être celui du retour. Elle n'avait jamais été femme à parcourir le hameau, ni à bavarder avec ses voisines. Mais à présent elles vinrent, à tour de rôle, une vingtaine environ, voir et s'informer de son mari ; elles disaient :

« Nous sortons toutes d'une même famille et sommes toutes plus ou moins ses parentes... »

A la longue, par orgueil, la mère inventa une histoire. Elle répondit hardiment, suivant une inspiration subite : « Il a un ami qui habite une cité lointaine et qui lui a trouvé une place où il pourra s'employer avec de bons gages, en sorte que nous n'aurons plus besoin de nous user à travailler la terre. Si la situation ne lui plaît pas, il reviendra bientôt, sinon il faudra attendre que son patron lui donne un congé. »

Elle n'avait jamais dit la vérité avec plus de calme et la vieille femme, stupéfaite, s'écria :

« Et pourquoi ne m'avez-vous pas donné cette bonne nouvelle, à moi qui suis sa mère ? »

Et la femme inventa de nouveau et répondit :

« Il m'a défendu de parler, vieille mère, car il prétend que votre langue court comme un caillou, et que toute la rue en saurait vite plus long que lui ; si cela ne marche pas, il aime mieux qu'on n'en dise rien.

— Ah ! vous croyez ! » caqueta l'aïeule, et, appuyée sur son bâton, ses vieilles mâchoires vides, pendantes, elle se pencha pour mieux observer la jeune femme, et elle lui dit, un peu vexée : « J'ai toujours beaucoup parlé, c'est vrai, mais ma langue ne court pas comme un caillou, ma fille. »

La mère répéta son récit mainte et mainte fois, elle y ajouta même quelques détails pour le rendre plus vraisemblable.

Une voisine passait souvent près de sa maison. Elle habitait chez un frère aîné et elle avait beaucoup de loisirs, étant veuve et sans enfants. Elle restait assise des journées entières à broder des fleurs en soie sur ses souliers, et pendant ce temps-là elle songeait aux menus faits que l'on racontait autour d'elle. Cette étrange histoire du départ d'un mari l'intrigua beaucoup ; un jour, une idée lui vint, et elle courut le long de la rue aussi vite que ses petits pieds le lui permettaient, pour faire observer à la mère d'un air finaud :

« Il y a longtemps qu'une lettre n'est venue au hameau, et je n'ai pas entendu dire qu'il n'y ait rien eu de votre mari. »

Elle alla ensuite trouver en secret le seul homme

qui sût lire dans ces parages. Il servait d'intermédiaire, quand par hasard on voulait correspondre au village, ce qui ajoutait à ses moyens d'existence. La veuve lui demanda sur un ton dc mystère : « Avez-vous vu passer une lettre de Li le Premier, le fils de Li le Trois de la précédente génération ? »

L'homme répondit négativement et la commère s'écria :

« Mais sa femme prétend en avoir reçu une il y a quelques jours à peine. »

Jaloux, à la crainte qu'on pût s'adresser au scribe d'un village voisin, l'homme nia à plusieurs reprises, et dit : « Je sais fort bien qu'il n'est pas venu de lettre ; je n'ai répondu à aucune ; personne ne m'a prié de lire la moindre ligne, ni réclamé de timbres pour un envoi — et on n'en trouve qu'ici. Depuis plus de vingt jours pas un porteur de lettres ne s'est approché du village. »

Alors la veuve flaira quelque chose de louche, et elle chuchota partout que la femme de Li le Premier mentait, qu'elle n'avait reçu aucun message et que sans doute son mari s'était enfui, l'abandonnant. Ne s'étaient-ils pas violemment querellés à propos de la robe neuve, si bien que tout le village les entendait s'injurier ? et l'homme avait poussé sa femme et l'avait frappée ; du moins les enfants le disaient.

Lorsque ces propos revinrent aux oreilles de la mère, elle maintint bravement qu'elle disait la vérité, et qu'elle avait même fait cette robe bleue en vue de ce voyage à la ville lointaine. Ils s'étaient disputés à propos d'autre chose. Quant à la lettre, elle n'existait pas ; la commission avait été transmise verbalement, par un marchand ambulant qui venait de la côte.

C'est ainsi que la mère persista à mentir adroitement. La vieille femme croyait de tout son cœur à cette histoire, et parlait souvent de son fils, de ses futures richesses, tandis que la mère gardait un visage calme et uni, et ne pleurait pas comme font les femmes abandonnées par leur mari qui les couvre de honte. A la longue, chacun finit par croire à cette version. La commère elle-même fut réduite au silence et se borna à grommeler d'un air sombre, penchée sur ses fleurs de soie : « Nous verrons plus tard, nous verrons, s'il envoie de l'argent, s'il écrit ou si jamais il revient. »

Ainsi la petite agitation qui avait troublé le village s'éteignit ; l'intérêt des gens se tourna d'un autre côté ; ils oublièrent la jeune femme et son récit.

C'est alors que la mère se mit énergiquement à l'œuvre. Les sept jours étaient passés depuis longtemps, et son mari ne revenait pas ; le riz avait mûri dans l'intervalle, il pendait jaune et lourd, prêt à être coupé ; l'homme ne venait toujours pas. La femme fit seule la récolte, sauf pendant les deux journées que lui donna son cousin, une fois son riz à lui fauché et mis en gerbes. Elle fut heureuse d'avoir son aide, mais elle le redoutait aussi, car c'était un homme de peu de paroles qui posait des questions simples auxquelles il était difficile de ne pas répondre véridiquement. Mais il travailla en silence, ne prononça que quelques mots indispensables, et dit seulement au moment de partir : « S'il n'est pas de retour à l'époque où on fera la part du grain pour le propriétaire, je vous aiderai, car le nouvel agent est trop rusé et intelligent pour qu'une femme puisse se débattre seule avec lui. »

Elle le remercia tranquillement, contente de cette aide, car elle connaissait peu l'agent, nouvellement venu dans la contrée, et qui mettait un faux enjouement à tout ce qu'il disait et faisait.

Les jours s'étaient changés en mois, et jour après jour la mère se levait avant l'aube, laissant la vieille femme et les enfants encore endormis. Elle leur préparait leur nourriture et la posait à portée, pour leur réveil, puis, soutenant d'une main le bébé qu'elle avait sous son bras, elle prenait de l'autre sa courte faucille recourbée, et partait aux champs. Le bébé était assez grand pour rester assis tout seul ; elle le mettait sur le sol et le laissait jouer à sa guise. Il remplissait ses mains de terre et les portait à sa bouche ; il mangeait cette terre, la trouvait mauvaise et la crachait, mais il oubliait aussitôt et recommençait jusqu'à ce qu'il fût couvert de salive boueuse. Mais, il avait beau faire, sa mère ne prêtait aucune attention à lui. Elle devait travailler pour deux et le faisait hardiment ; si l'enfant criait, il n'avait qu'à continuer et attendre. Quand elle était lasse et s'asseyait pour se reposer, elle mettait son sein sur la bouche terreuse de l'enfant et le laissait boire sans se soucier des traces de saleté sur elle.

Elle faucha le grain raide et jaune, poignée par poignée, en se courbant chaque fois, puis elle l'entassa en gerbes. Lorsque, selon la coutume, des mendiants et des glaneurs s'approchaient, au temps des moissons, pour ramasser ce qu'elle laissait tomber, elle tournait vers eux un visage noirci de sueur et de terre, les traits tirés par l'amer labeur et leur criait des injures : « Vous glanez chez une femme seule, qui n'a pas d'homme pour l'aider. Je suis plus pauvre que vous, espèces de mendiants, de voleurs exécrables ! » Et elle leur lançait des imprécations si énergiques, maudissant les mères qui les avaient portés et les fils qui leur étaient nés, qu'effrayés par la véhémence de ses anathèmes, ils évitèrent à la fin de toucher à ses champs.

Ensuite elle transporta les gerbes sur l'aire, une à une, et les battit, attelant le buffle au grossier rouleau de pierre. Pendant toutes les calmes et chaudes journées d'automne, elle força l'animal à marcher, sans se ménager davantage elle-même. Quand le grain fut battu, elle ramassa la paille vide, l'entassa, et lança le grain en l'air pour le vanner au vent, quand il soufflait.

Elle obligea le petit garçon à travailler lui aussi à présent, et s'il traînait ou avait envie de jouer, elle le frappait par pure fatigue, dans l'accablement de son corps poussé à bout. Mais elle se sentait incapable de monter les meules. Elle ne savait pas entasser les gerbes, car son mari, qui avait moins d'aversion pour ce travail que pour d'autres, s'en était toujours chargé. Il y mettait du soin et le faisait bien, étalant sur le faîte une couche de boue unie. La mère demanda à son cousin de lui montrer la manière de s'y prendre cette fois-ci ; l'année suivante, si l'homme n'était pas de retour, elle s'en arrangerait avec son fils. Le cousin accepta, et elle se mit à la tâche avec lui ; elle ploya son corps et le redressa, lui lançant la paille qu'il égalisait, juché sur la meule. Et ainsi, la récolte fut serrée.

A force de travail et de trop continuelles fatigues, la mère devenait d'une maigreur extrême ; sa chair avait fondu ; sa peau brûlée lui donnait un teint brun foncé que relevait seul le rouge des joues et des lèvres. Cependant un lait riche remplissait toujours ses seins. Il y a des femmes chez qui la nourriture se change en graisse, sans alimenter l'enfant qu'elles portent ou qu'elles allaitent. Mais celle-ci était faite pour être mère, et sa maternité lui dérobait impitoyablement sa substance, selon les besoins de l'enfant.

Puis vint le jour fixé pour le partage de la récolte avec le propriétaire. Cet homme riche, qui possédait le hameau et les champs qui l'entourent, menait une existence oisive dans une ville, au loin ; il avait hérité ces terres de ses ancêtres et ne se dérangeait jamais lui-même, mais envoyait un homme d'affaires à sa place ; un nouveau venu, cette fois-ci, car l'ancien l'avait quitté depuis quelques mois, après s'être suffisamment enrichi en vingt ans pour cesser de travailler. L'agent passait chez chaque fermier du village et la mère était sur le pas de sa porte, derrière le grain entassé sur l'aire, lorsqu'il parut.

Ce nouvel agent, grand, soigné, vêtu de soie grise et chaussé de souliers de cuir, était un citadin, des pieds à la tête. Il posait souvent sa large main, à la peau douce, sur sa lèvre rasée, et un parfum émanait de lui à chaque mouvement. La mère se recula à son approche et lorsqu'il appela : « Où est donc le fermier ? » elle attendit et laissa la vieille femme crier de sa voix flûtée : « Mon fils travaille à la ville et il n'y a que nous sur les terres. »

La mère envoya son fils chercher le cousin, puis elle attendit, silencieuse, et ne s'avança que pour offrir à l'homme le thé et les salutations d'usage ; cependant elle sentit qu'il posait un regard brûlant sur ses pieds nus et sur son visage. Elle se tint là lorsque le cousin mesura son grain à elle et celui qu'on devait remettre à l'agent, heureuse de n'avoir pas à intervenir, ni même à s'approcher pour examiner les poids, tellement elle avait confiance dans l'honnêteté de son parent. Mais elle voyait morceler sa provision, et il lui était pénible ainsi qu'à tous les autres de se séparer, pour cet élégant monsieur, d'une part qui lui avait coûté tant d'efforts. Les autres fermiers, comme la mère, donnaient leur grain avec un sentiment de révolte, mais chacun savait combien ils auraient à souffrir d'un refus, aussi ils offraient à l'agent, en plus de la part du propriétaire, un cadeau personnel : une ou deux volailles bien grasses, une mesure de riz, des œufs, ou même un peu d'argent. Ensuite, après que le grain avait été mesuré dans le village, il fallait encore préparer un festin pour l'homme d'affaires, et chaque maison devait fournir un plat. Même par cette année de solitude, la mère prit une poule, la tua et l'accommoda pour ce grand souper. Elle la fit mijoter à petit feu, à la vapeur, jusqu'à ce qu'elle se trouvât à point. Une fois cuite, sa forme était intacte, la peau restait entière, mais la chair si tendre s'effriterait au moindre contact des baguettes. S'imaginer la saveur de cette volaille, respirer son odeur pendant les longues heures de cuisson, c'était plus que les enfants ne pouvaient supporter ; ils ne quittaient pas les abords de la cuisine, et le petit garçon s'écriait : « Je voudrais que ce soit pour nous ! Je voudrais qu'une fois au moins nous puissions manger un poulet nous-mêmes ! »

Mais la mère répondit, aigrie par la fatigue : « Qui peut manger de cette viande-là, sinon un homme riche ? »

Cependant, après le festin, elle s'approcha de la table jonchée de débris, autour de laquelle les hommes s'étaient assis, et elle ramassa un os qui restait de sa poule ; un peu de peau et un lambeau de chair y pendaient encore, et elle le prit et le donna à sucer à son fils en disant : « Dépêche-toi de grandir, mon garçon, et tu pourras souper avec eux, toi aussi ! »

Le petit demanda ingénument :

« Mais mon père me le permettra-t-il ? »

La mère répondit avec amertume :

« S'il n'y est pas, tu prendras sa place, je te le jure ! »

L'année s'avançait ; on arrivait à la fin de l'automne. Les enfants se souvenaient à peine qu'un autre avait dormi dans le lit, auprès d'eux et de leur mère. L'aïeule elle-même s'informait rarement de son fils, absorbée par ses douleurs ; ses vieux os lui faisaient mal par ces vents glacés, et elle était assez occupée à chercher un coin chaud, abrité et ensoleillé ; elle se plaignait sans cesse des vents changeants, et de ce que chaque année le soleil semblait moins chaud que l'année précédente.

Le petit garçon travaillait régulièrement à de menus travaux qu'il considérait comme sa tâche. Quand il n'y avait rien de mieux à faire, il conduisait le buffle sur la montagne et, pendant que la bête paissait l'herbe courte, l'enfant restait étendu sur le dos, la journée entière, ou bien il descendait, bondissait sur une tombe, s'y asseyait, attrapait des grillons dans l'herbe et leur tressait de petites cages avec les tiges des graminées. Quand il rentrait à la maison, le soir, il suspendait les cages à la porte et les grillons chantaient, à la joie du bébé et de sa sœur.

Mais bientôt l'herbe sauvage de la montagne brunit à l'approche de l'hiver ; les fleurs qui s'y mêlaient mûrirent, chargées de graines, et les chemins de traverse s'égayèrent d'asters pourpres et de petits chrysanthèmes jaunes, qui sont les fleurs de l'automne. Il était temps de faucher l'herbe et de faire sa provision de combustible pour l'hiver. L'enfant suivit chaque jour sa mère ; elle coupait l'herbe sèche avec sa faucille courte, tandis que le gamin en tressait des cordes dont il liait les gerbes préparées par la jeune femme. Les flancs de la montagne étaient couverts de points bleus ; des gens qui, comme eux, récoltaient l'herbe brune. Le soir, quand le soleil se couchait, et que l'air froid de la nuit tombait des sommets, tout le monde rentrait chez soi, déambulant le long des étroits sentiers de montagne qui serpentaient, en lacet. Chacun était chargé de deux grosses bottes attachées à une perche, qu'on portait sur l'épaule. La mère en faisait autant, et l'enfant ramenait deux petites gerbes.

Dès que la mère arrivait, elle prenait le bébé et lui donnait le sein pour se soulager du poids de son lait ; l'enfant buvait goulûment, n'ayant eu que du gruau de riz dans la journée. La vieille femme, par ces nuits froides qui venaient si tôt, se glissait dans son lit pour se réchauffer, dès que le soleil se couchait, et la petite fille sortait à tâtons, aux dernières lueurs du jour ; elle faisait une légère grimace de souffrance, même à cette pâle lumière ; puis elle s'asseyait sur le seuil et souriait, heureuse à l'idée de revoir son frère qui lui manquait, à présent qu'il travaillait.

C'est ainsi que se passa l'automne ; il y eut aussi le terrain à labourer ; le blé à ensemencer ; la mère apprit à l'enfant à éparpiller les grains en s'aidant du vent qui soufflait et à ne pas semer trop épais à un endroit et trop clair à d'autres. Ensuite vint l'hiver ; lorsque le blé fut à peine sorti, la terre se tassa et s'affermit avec le froid qui augmentait. La mère prit les vêtements d'hiver qu'elle gardait sous son lit ; elle les mit au soleil et les arrangea pour qu'on pût les porter. Mais les rudes travaux de l'été et de l'automne lui avaient tellement déchiré les mains que même la grossière cotonnade s'accrochait aux fissures et ses doigts durcis étaient raides, bien que toujours beaux par leur forme.

Cependant, elle continuait à coudre, assise dans l'embrasure de la porte au soleil du midi et garantie du vent trop vif. Elle commença par s'occuper des vêtements de sa belle-mère qui souffrait tant du froid. Elle la pria de rester au lit un ou deux jours, et d'enlever le linceul rouge dont elle était vêtue. La jeune femme remit entre l'étoffe et la doublure la couche d'ouate qu'elle avait enlevée à l'approche de l'été.

L'aïeule, confortablement couchée, bavardait toute joyeuse et s'écriait : « Survivrai-je à ce linceul, belle-fille, croyez-vous ? En été, je me le figure, mais en hiver j'ai des doutes, car ce que je mange me réchauffe moins qu'autrefois. »

La mère répondit d'un air distrait : « Oh ! vous durerez longtemps, bonne vieille, je vous le promets, car je n'ai jamais vu une ancienne s'attarder en ce monde comme vous le faites, quand les autres prennent le chemin du commun des mortels. »

L'aïeule réjouie se mit à rire et à tousser tout en caquetant : « Oui, oui, je suis d'une espèce tenace, je le sais bien ! » Puis elle attendit, satisfaite, que son linceul fût arrangé plus chaudement.

La mère raccommoda ensuite les affaires de ses enfants ; elle dut faire passer celles de la fillette au bébé, et celles du gamin à sa sœur, tellement ils avaient grandi tous les trois dans l'année. La question se posa alors pour l'aîné : quels habits mettrait-il ? Il restait bien la veste ouatée du père et le pantalon qu'il portait les trois derniers hivers. La mère en avait réparé les déchirures à l'encolure et au poignet ; sur le devant se voyaient les traces d'un long accroc fait par la corne du buffle, dans un soubresaut de douleur de l'animal, un jour où l'homme en colère tirait sur la corde qui traversait ses naseaux.

La jeune femme n'avait pas le courage de couper ces vêtements à la taille de son fils ; elle les tournait et les retournait, perplexe et le cœur rongé ; elle finit par murmurer : « Après tout, s'il revenait... je verrai plus tard. »

Mais le petit n'était pas vêtu pour la saison. Il grelottait par les matinées et les soirées froides et sa mère se décida à lui retailler la veste et le pantalon du père. Elle le fit en serrant les lèvres et se dit pour se consoler : « S'il arrive au nouvel an, nous vendrons du riz et j'achèterai des habits neufs, il en sera heureux. »

L'hiver passa à son tour et la femme croyait difficilement que l'absence de son mari pût se prolonger au-delà des fêtes, à cette époque où tous les hommes, à l'exception des mendiants, retournent chez eux, s'ils sont en vie. Quand on la questionnait, elle répondait : « Il reviendra au nouvel an. » Et la vieille mère répétait vingt fois par jour : « Quand mon fils reviendra, au nouvel an... » Et les enfants, eux aussi, l'espéraient. De temps à autre la commère du village souriait et disait malicieusement, tout en se faisant une nouvelle paire de souliers pour cette date-là : « C'est curieux que vous ne receviez aucune lettre de votre mari. Je le sais, car le scribe me l'a affirmé. »

La mère répondait alors avec un calme apparent :

« J'ai eu des nouvelles plusieurs fois par des gens de passage. Mon mari et moi n'avons jamais aimé à écrire, et à dépenser pour cela notre bon argent. Peut-on savoir ce que les scribes oublient de dire ! Puis c'est écrit en public ; si j'avais une lettre, par hasard, toute la rue serait au courant. Je suis bien contente qu'il ne m'en envoie pas. »

C'est ainsi qu'elle imposait silence à la commère et, à force de répéter que son mari reviendrait au nouvel an, elle finissait par y croire elle-même. Le moment approchait, et chacun au hameau commençait ses préparatifs. Elle dut s'y mettre, elle aussi, non seulement pour ses enfants : faire leurs souliers neufs, laver leurs vêtements et coudre un nouveau bonnet au tout petit, mais encore pour son mari. Elle remplit deux grands paniers de riz, n'osant pas risquer de se démunir davantage, et les porta à la ville. Elle réussit à vendre le grain presque aussi cher que lorsque l'homme s'en chargeait ; il y avait de quoi la satisfaire, car elle marchandait seule aux prises avec des hommes. Elle employa l'argent à acheter des chandelles et de l'encens que l'on brûle devant le dieu et des lettres rouges qui portent bonheur, collées sur la charrue, les outils et tous les objets qui servent à la ferme ; puis de la graisse et du sucre pour faire des gâteaux le grand jour venu. Avec ce qui lui restait, elle entra dans un magasin et demanda environ six ou sept mètres de bonne cotonnade bleue et, dans une autre boutique, cinq livres d'ouate qui sert à doubler.

La mère était si sûre de voir arriver son mari qu'elle prit ses ciseaux et tailla l'étoffe de son mieux avec beaucoup de précautions. Elle en fit une veste et des pantalons, qu'elle ouata et piqua bien uniformément ; elle termina le tout jusqu'au dernier bouton fait en étoffe tordue et solidement cousue. Ensuite la jeune femme serra le costume jusqu'à la venue de l'homme, et chacun eut l'impression que ces vêtements le rapprochaient de son foyer.

Mais la fameuse date arriva et il ne parut pas. Toute la journée ils restèrent assis, revêtus de ce qu'ils avaient de plus beau ; les enfants étaient propres et craignaient de se salir ; la vieille femme évitait soigneusement de répandre sa nourriture sur ses genoux et la mère gardait un sourire forcé en répétant : « Il se peut qu'il vienne, car il fait encore jour ! » Les anciens camarades de l'homme s'avancèrent sur le seuil ; ils espéraient lui souhaiter la bienvenue. La mère leur fit accepter des petits gâteaux et répondit à leurs questions : « En effet, nous comptions sur mon mari, mais je sais que son maître l'a pris en affection et se repose sur lui ; sans doute n'aura-t-il pas pu se passer de lui assez longtemps pour lui permettre d'entreprendre ce long trajet. »

Elle répéta la même chose aux femmes qui se présentèrent le lendemain. Elle sourit d'un air dégagé en disant : « Puisqu'il n'est pas venu, je recevrai une lettre bientôt, j'en suis sûre, qui m'expliquera son absence », et elle passa à d'autres sujets.

Les jours s'écoulèrent, et comme elle parlait d'un ton naturel, les enfants et l'aïeule crurent à ses paroles, car ils avaient en elle une confiance absolue.

Mais dans la nuit, la nuit sombre, elle pleurait en silence, amèrement. Elle pleurait le départ de l'homme, puis, à d'autres moments, elle pleurait parce qu'il la couvrait de honte ou bien parce qu'elle était une femme seule et que la vie lui paraissait vraiment trop dure avec ces quatre personnes à soutenir.

Un jour qu'elle réfléchissait à toutes ces causes de larmes, elle se dit qu'elle pourrait au moins s'épargner la honte. Elle se rappela l'argent dépensé en vêtements, les gâteaux, l'encens brûié en prières, sans que pour cela son mari eût reparu ; elle se souvint de coups d'œil rusés de la commère du village, de ses allusions chuchotées et des airs de doute, de l'étonnement du bon cousin lui-même, à mesure que les jours s'écoulaient et que l'absence de son mari se prolongeait, et elle décida de s'éviter ce déshonneur.

Elle sécha ses yeux, réfléchit un instant et forma un plan. Elle emporta à la ville le riz et la paille dont elle pouvait disposer et les vendit. Elle échangea l'argent reçu contre un billet de même valeur et alla trouver le scribe de la ville, un inconnu pour elle. Il était installé dans sa petite baraque à côté du temple de Confucius. Elle s'assit auprès de lui, sur la banquette, et lui dit : « J'ai une lettre à dicter de la part de mon frère qui travaille, et ne peut revenir chez lui. Il est malade sur son lit et je vous répéterai ce qu'il désire. »

Le vieillard retira ses lunettes et cessa de considérer les passants. Il prit une feuille de papier neuve, humecta son pinceau sur le bloc d'encre, regarda la mère et lui demanda : « Tout d'abord, dites-moi comment s'appelle la femme de votre frère, où elle habite, et comment vous vous appelez vous-même ? »

La mère lui répondit : « C'est mon frère qui me prie d'écrire à sa femme, car je reviens depuis peu du lieu qu'il habite — et mon nom n'a aucune importance. »

Elle donna alors celui de son mari, qu'elle fit passer pour son frère, disant qu'il demeurait dans une ville éloignée, dont elle se rappelait avoir entendu parler autrefois, dans le pays de son enfance. Ensuite elle indiqua sa propre adresse au hameau, comme étant celle de sa belle-sœur, et ajouta : « Voici ce que mon frère désire qu'on écrive à sa femme : Je travaille bien, j'ai une bonne place, une nourriture qui me plaît et un excellent maître qui me demande simplement de lui donner sa pipe ou son thé, et de porter ses messages à des amis. Je suis nourri et j'ai en plus trois pièces d'argent par mois. J'en ai gardé dix que j'ai échangées contre un billet qui a maintenant la même valeur. Prends-le pour la mère, pour toi et les enfants. »

Elle resta assise et attendit pendant que le vieillard écrivait avec lenteur. Cela dura longtemps et à la fin il demanda : « Est-ce tout ?

— Non, répondit-elle, j'ai encore ceci à dire, écrivez : Je n'ai pas pu venir au nouvel an parce que mon maître m'aime tellement qu'il refusait de se passer de moi, mais ce sera sans doute pour une autre année, sinon je t'enverrai ce que j'aurai d'économie de mes gages une fois par an. »

Le vieillard se remit à l'œuvre et elle ajouta après avoir réfléchi un moment : « Il y a encore ceci à mettre : Dis à ma vieille mère que j'apporterai, quand je viendrai, de l'étoffe rouge pour son troisième linceul, de la meilleure qualité qu'on mette en vente. »

La lettre était terminée, le vieillard la signa, la cacheta, inscrivit l'adresse, cracha sur un timbre et le colla, puis promit de la mettre à la poste à l'endroit qu'il connaissait. Elle lui remit son dû et revint chez elle. C'était là le complot qu'elle avait imaginé en séchant ses larmes.

## CHAPITRE VI

SEPT jours plus tard un porteur de lettres vint à passer, son sac sur l'épaule. C'était un fait nouveau, car autrefois les facteurs n'existaient pas, et les villageois trouvaient miraculeux que des messages puissent être transmis de cette manière ; cela arrivait cependant. L'homme sortit une enveloppe de son sac et la tint en regardant la mère : « Etes-vous la femme d'un nommé Li ? » demanda-t-il.

Elle comprit qu'il s'agissait de sa lettre et répondit : « C'est bien moi.

— Alors, ceci est pour vous, dit-il, de la part de votre mari où qu'il soit, car son nom est écrit là. »

Elle s'efforça de montrer une fausse joie, poussa des exclamations et cria à la vieille femme : « Voici des nouvelles de votre fils ! » et aux enfants : « Votre père a écrit ! » Ils avaient peine à attendre la lecture de la lettre ; la mère se lava, mit une veste propre et lissa ses cheveux. Pendant ce temps elle entendit sa belle-mère crier à la cousine : « La lettre de mon fils est arrivée ! » Elle riait en parlant, si bien qu'elle se mit à tousser au milieu de ses rires jusqu'à ce que la cousine effrayée de cette agitation dans ce vieux corps faible se précipitât pour lui frotter le dos, en disant de sa manière chaude et cordiale : « Vieille mère, n'allez pas mourir à cause de cela, je vous en prie ! », et elle ajouta en voyant apparaître la belle-fille propre et souriante : « Voyez la pauvre chère créature s'étrangle parce qu'elle a des nouvelles ! » et la mère en montrant la lettre s'efforça de donner de l'éclat à son sourire : « En effet, les voici », dit-elle.

Lorsqu'elle descendit la rue, tout le monde se joignit à elle, car le gamin, qui la suivait, expliquait, la bouche fendue, à ceux qui l'interrogeaient, que son père venait d'écrire. La petite fille courait par-derrière, accrochée à la veste de son frère, et comme on était en hiver, que le travail ne pressait pas, les oisifs se rassemblèrent chez le scribe, étonné de voir sa maison subitement envahie. Lorsqu'il apprit de quoi il s'agissait, il prit la lettre, l'examina un moment, la tourna et la retourna et finit par prononcer gravement, comme si c'était la principale chose qu'on lui demandait : « Elle est de votre mari.

— Je l'avais deviné », répondit la mère, et la commère du village, mêlée à la foule, s'écria :

« De quel autre homme voulez-vous qu'elle soit, mon brave ? » et un rire général accueillit cette remarque.

Le scribe se mit à lire lentement. On fit silence ; la mère, les enfants, la foule, tout le monde écoutait, et à chaque mot le scribe s'arrêtait pour bien en expliquer le sens, d'abord parce qu'il est vrai que les mots écrits diffèrent des mots parlés, et aussi pour faire ressortir son instruction. La mère semblait entendre ces paroles pour la première fois et inclinait la tête à chacune d'elles ; lorsqu'il arriva au passage ayant trait à l'argent, le scribe éleva la voix et prononça bien nettement la phrase importante. Les gens qui l'entouraient restèrent bouche bée puis s'écrièrent : « Le billet y était-il ? » La femme fit un signe de tête, ouvrit la main et montra le papier qu'elle avait échangé contre son propre argent. Elle le remit au scribe stupéfait, et il dit d'un ton solennel : « Il est vrai que je vois un dix, cela doit indiquer que la valeur est de dix pièces d'argent. »

Chacun dut l'examiner à son tour. L'image d'un gros général à favoris était imprimée sur le billet et, lorsque la commère du village la vit, elle s'écria, stupéfaite : « Comme votre mari a changé, maîtresse ! » croyant qu'il s'agissait de lui-même, et personne n'était bien sûr du contraire, sauf la mère qui déclara : « Ce n'est pas mon mari, je le sais. »

Le scribe hasarda : « Sans doute est-ce son maître ? »

Tout le monde voulut regarder de nouveau, et on admira combien il paraissait riche et bien nourri. La foule était muette d'étonnement et d'envie, tandis que la mère repliait son précieux billet et le serrait dans sa main.

La lettre lue, le vieillard la remit dans son enveloppe et dit gravement : « Vous avez beaucoup de chance ; toutes les femmes de la campagne n'ont pas un mari capable de trouver une si bonne place dans une grande ville, ni de leur envoyer ses gages, car il paraît que là-bas, il y a tellement d'endroits où dépenser son argent. »

La foule s'écarta d'elle avec respect et elle rentra fièrement chez elle ; les enfants la suivaient et partageaient la gloire de leur mère. Au retour, il fallut tout raconter à l'aïeule qui se mit à rire de plaisir en entendant ce que son fils avait écrit à propos de son troisième linceul, et elle s'écria de sa voix tremblante et cassée, en frappant de satisfaction ses genoux osseux : « Quel fils j'ai là ! Je vous promets qu'il n'a pas son pareil ! Cette étoffe de la ville doit être joliment bonne et solide ! »

Puis elle ajouta d'un ton plus grave, et un peu à regret : « Oui, ma fille, si elle est aussi bonne qu'il le prétend, je crains de ne pas l'user avant de mourir. Ce sera sans doute mon dernier linceul. »

Le gamin devint sérieux lorsqu'il vit l'expression de sa grand-mère, et, en bon petit-fils, il s'écria : « Non, grand-mère, car vous en avez usé deux, et celui-ci ne peut pas avoir une durée double ! »

La bonne âme se sentit réconfortée de nouveau et se mit à rire d'admiration devant l'intelligence de son petit-fils. Elle dit à sa bru :

« Vous vous êtes bien souvenu de tout ce qu'il a dit, ma fille, vous aviez presque l'air de lire les mots vous-même.

— Oui, répondit la mère. Je m'en souvenais exactement. »

Et elle rentra seule dans la maison. Debout derrière la porte, elle pleura silencieusement. La lettre et le billet qui représentait de l'argent n'étaient plus que cendres, malgré sa fierté. Ils n'avaient aucun sens et perdaient toute valeur quand elle se retrouvait seule.

Ce complot réussit assez bien, et personne au hameau ne se moqua plus de la mère ; on cessa toute allusion à l'abandon possible de son mari. Elle dut même s'endurcir le cœur, car, depuis qu'on savait qu'elle possédait du papier-monnaie et qu'elle en recevrait d'autres l'année d'après, on venait lui emprunter en secret, le vieux scribe en premier lieu ; puis un ou deux oisifs lui envoyèrent leurs femmes. Et la mère eut de la peine à leur refuser, car au hameau tous sont parents entre eux et portent le nom de Li. Elle répondait une chose ou l'autre : la somme était due ou déjà dépensée. Lorsqu'on bavardait au seuil d'une porte, on interpellait la jeune femme, ou bien la commère lançait des remarques à son intention sur le prix exorbitant du moindre bout d'étoffe, d'une aiguille, de quelques brins de soie de couleur vive à broder les souliers, et on avait soin de s'écrier devant elle : « C'est bon pour vous qui n'êtes pas obligée de réfléchir sur chaque sou de dépense, avec votre mari là-bas qui vous gagne de l'argent en plus de ce que vous tirez du sol ingrat. » Et parfois un homme observait bien haut : « Ce n'est peut-être pas prudent d'avoir une femme aussi riche que cela au hameau. Les richesses attirent les voleurs comme le miel attire les mouches. »

Il semblait que, chaque jour, les ennuis causés par ce billet devenaient de plus en plus grands. En dehors des commérages et des questions, des gens qui désiraient le voir de près, elle-même éprouvait des craintes, n'étant pas habituée à garder de l'argent sous cette forme. Le vent pouvait enlever le billet, les rats le dévorer, les enfants le trouver, s'en amuser et le déchirer sans en connaître la valeur. Elle finit par le détester. Elle examinait constamment le panier de riz dans lequel elle l'avait caché, de peur qu'il ne moisît dans le mur de terre et ne finît par pourrir. Elle s'en faisait un tel souci que, voyant un jour son cousin aller à la ville, elle lui courut après, et lui dit tout bas : « Changez-moi ce bout de papier en monnaie d'argent bien dure, je vous prie, que je puisse la sentir dans mes mains, car ce billet entre mes doigts n'a l'air de rien ! »

Le cousin s'en chargea et, comme il était un homme juste et honnête, il prit, à la place, de bonnes pièces sans défaut, qu'il fit sonner au retour, l'une contre l'autre, devant sa cousine. Dans sa reconnaissance, et de crainte de paraître mesquine, elle lui dit un peu à regret : « Prenez-en une pour votre peine, et pour votre aide pendant les moissons, car je sais combien vous en avez besoin avec votre femme qui est grosse de nouveau. »

Il considéra fixement les pièces de monnaie, cligna les yeux d'envie, sans s'en douter, et retint sa respiration ; mais il refusa et, comme il était bon et consciencieux, il dit très vite pendant qu'il en avait le courage : « Non, cousine, vous êtes une femme seule, et je suis encore capable de gagner ma vie.

— Quand vous en aurez besoin, vous pourrez m'emprunter », dit-elle, en se hâtant d'emporter toute la somme, car elle savait que, malgré sa bonté, un être humain ne peut pas supporter longtemps la vue de l'argent sans faiblir.

Cette nuit-là, tandis que la vieille mère et les enfants dormaient, elle se leva, alluma la bougie et creusa un trou dans le sol avec son sarcloir, elle y déposa les dix pièces d'argent enveloppées d'un chiffon pour les protéger de la terre. Le buffle se retourna et posa sur elle ses grands yeux mornes ; sous le lit, les poules s'éveillèrent ; elles poussèrent un faible gloussement et dirigèrent tantôt une prunelle, tantôt l'autre vers cette chose curieuse. La jeune femme boucha le trou et piétina, pour bien le dissimuler, ensuite elle se recoucha dans l'obscurité.

Encore éveillée et cependant plongée à demi dans le domaine des rêves, elle en vint à oublier d'une manière étrange qu'elle venait d'enfouir son propre argent, l'argent qu'elle avait gagné en coupant sa récolte, courbant son dos las sur chaque poignée de grain. Elle finissait par se persuader que son mari avait réellement envoyé cette somme, qu'elle représentait quelque chose de plus vaste, de plus considérable que son argent à elle. « C'est pour remplacer celui qu'il m'a pris, se dit-elle en son cœur, celui avec lequel il s'est acheté une robe bleue, et c'est mieux ainsi, car il y en a davantage. » Alors elle lui pardonna ce qu'il avait fait, et s'endormit.

Ensuite, lorsqu'on demandait à voir le billet, elle répondait tranquillement : « Je l'ai échangé contre de l'argent ordinaire que j'ai dépensé. » Et quand la commère du village entendit cela, sa bouche de bavarde s'entrouvrit, puis elle s'écria : « Mais tout y a-t-il donc passé ? » La mère répondit en souriant, d'un air naturel : « Mais oui, j'en ai eu besoin pour ceci ou cela, un pot neuf ou deux, de l'étoffe, des choses et autres. Pourquoi m'en priver puisque j'en recevrai encore ? » Elle rentra chez elle et montra le costume qu'elle avait fait pour son mari, au cas où il reviendrait, et dit : « Voici à quoi j'ai employé une partie de l'argent. » Chacun examina le tissu, le froissa, admira sa qualité et la vieille commère observa malgré elle : « Vous êtes une bien bonne femme, je vous le promets, de prendre même une partie de la somme pour lui et de ne pas tout garder pour vous ou vos enfants. »

La mère répondit sans broncher : « Mais nous sommes très satisfaits l'un de l'autre, mon mari et moi, et puis j'ai bien eu ma part, moi aussi. Je l'ai remise à un bijoutier qui m'en fera des boucles d'oreilles et un anneau pour mon doigt. Car mon mari a toujours désiré m'offrir des bijoux dès que nous aurions mis un peu de côté. »

La vieille femme avait écouté et elle vint ajouter son mot : « Je jure que mon fils est bien tel qu'elle le dit. Il va m'acheter mon troisième linceul, ce que l'on trouve de mieux en ville. Un bon fils, cousine, car je vois que votre ventre est comme un melon mûr. »

Les femmes s'en allèrent en riant, car le soir tombait. Mais, aussitôt le départ, la mère se lamenta. Elle regretta d'avoir forgé une histoire pareille : « Ce que j'avais dit déjà suffisait bien. Où vais-je trouver de quoi payer ces bijoux ? Il faut cependant que je me procure la somme nécessaire, si je veux qu'on me croie véridique. »

Et elle soupira en songeant au fardeau qu'elle venait de s'imposer.

## CHAPITRE VII

UNE fois de plus le printemps survint, et la mère dut se mettre avec énergie aux travaux des champs. Elle se fit aider par son fils et lui apprit à conduire la bête. L'enfant était trop jeune, trop menu, pour pousser la charrue ; il se borna à courir derrière le buffle et à taper sa grosse peau couleur d'ardoise. Mais le cuir était si épais qu'il avait beau y mettre toutes ses forces, il n'arrivait pas à entamer la surface. La mère fixa un aiguillon dans la tige de bambou, et dit au gamin de s'en servir, pour faire sortir l'animal de sa prodigieuse indolence.

Elle employa aussi la fillette à des tâches légères, car la vieille femme devenait de plus en plus paresseuse avec l'âge ; elle oubliait tout, et se rappelait simplement si elle avait faim ou soif. Elle ne bougeait que lorsque le bébé, avec sa vigueur habituelle, réclamait ce qu'il désirait, car elle adorait ce dernier petit-fils. La fillette apprit à laver le riz du déjeuner à la mare, mais elle devait s'y prendre avant le départ aux champs, car elle risquait, n'y voyant qu'à demi, de tomber dans l'eau et de s'y noyer. Elle s'exerça aussi à cuire le riz et à le tenir prêt pour le retour, bien qu'avec sa petite taille elle atteignît à peine le couvercle du chaudron. Sa mère lui enseigna même à allumer le feu et à maintenir la flamme active. La fillette s'en tirait très bien et, lorsque la fumée se répandait au-dehors et lui entrait dans les yeux, elle supportait avec patience la brûlure de ses paupières. Elle ne se plaignait jamais, car elle comprenait qu'en l'absence du père la mère devait suffire à tout. Mais, sa tâche terminée, elle se retirait dans la maison et se réfugiait dans un coin qui restait sombre, même à midi ; assise, elle essuyait ses yeux ruisselants avec un morceau de toile qu'elle gardait pour cet usage et endurait sa souffrance du mieux qu'elle pouvait.

Le bébé marcha, les beaux jours venus. Il n'avait pas essayé pendant l'hiver ; ses vêtements ouatés l'alourdissaient à tel point que, s'il tombait, il lui fallait attendre que quelqu'un passât à côté de lui, pour le remettre sur pied. Il mangeait tout ce qu'il voulait et poussait bien. La mère le laissait encore prendre le sein ; elle y trouvait une vague jouissance. Lorsque le petit se pressait contre sa poitrine et courait à son avance le soir en criant, pour boire les quelques gouttes de lait qu'il y trouvait encore, une sorte d'obscur réconfort montait en elle, très doux.

On atteignit le milieu d'un printemps tiède. La

jeune femme peinait dur tout le jour, son fils à ses côtés. Les champs finirent par être labourés tant bien que mal. Les sillons étaient moins droits, et moins profonds que lorsque l'homme faisait le travail, aux saisons passées, tandis que la femme jetait les graines ; cependant, elle arriva à semer les haricots, les plants de choux et les radis à vendre au marché. Le colza, de nouveau en bouton, dressa ses premières têtes, puis fleurit jaune et or. La mère travaillait tellement, et se sentait si lasse chaque soir, qu'elle tombait dans un sommeil profond ; elle avait peine à s'éveiller et en oubliait l'homme.

Mais un jour, elle se souvint.

La femme du cousin était prête à accoucher. Son heure venue, elle envoya un de ses enfants chercher la mère, qui était à la fois son amie et sa plus proche voisine. La petite fille la trouva occupée aux champs. La douce brise printanière soufflait sur la veste lâche de la femme et séchait la sueur à mesure qu'elle perlait.

La jeune messagère s'écria : « Bonne tante, le moment est venu pour ma mère ; elle vous prie de vous hâter, car vous savez combien elle est prompte. Elle est assise pour que vous preniez l'enfant. »

La mère redressa son dos courbé et répondit : « Je viens tout de suite », et elle se tourna vers son fils : « Ramasse mon sarcloir, lui dit-elle, et sarcle les haricots de ton mieux en mon absence. Je n'en ai pas pour plus d'une heure, si elle se presse autant que les autres fois. »

La jeune femme prit à travers champs et suivit la fillette qui courait. En chemin, elle se sentit pénétrée par la douceur du jour, d'une manière inusitée. Elle avait constamment cette vallée sous les yeux et peinait si dur qu'elle ne songeait jamais à lever la tête et à regarder l'aspect du monde extérieur. Sa pensée entière était concentrée sur ses champs, sa maison, et elle tenait les yeux baissés sur sa tâche. A présent, elle les releva et elle vit : les saules étaient couverts de feuilles tendres qui luisaient, vertes ; les fleurs blanches, épanouies, des poiriers s'en allaient au vent ; ici et là, le rouge écarlate d'un grenadier flambait dans la jeune verdure. La brise était chaude ; elle s'élevait en soudaines bouffées et s'apaisait aussitôt, et la jeune femme se demanda ce qu'il y avait de plus doux, du profond silence tiède, lorsque le vent tombait et que l'odeur de la terre montait des champs labourés, ou des légers tourbillons parfumés. En passant ainsi du calme au brusque tumulte de l'air, elle eut conscience de son corps robuste, jeune et plein de vie, et elle fut prise d'un nouveau et immense désir de l'homme.

Depuis son mariage, elle avait enfanté environ chaque printemps. Cette fois-ci, sa chair était stérile. Cela semblait si naturel autrefois de porter un enfant ; une chose qui devait sans cesse recommencer. A présent, cela lui parut être une joie qu'elle n'avait pas su comprendre jusqu'ici, et le sentiment de sa solitude l'envahit, devint une souffrance, ses seins lui firent mal lorsqu'elle y songea — si son mari ne revenait pas, jamais plus, dans cette saison, elle ne porterait d'enfant. Soudain, son ardent désir se répandit au-dehors, en une sorte de cri : « Oh !... reviens... reviens-moi ! »

Il lui sembla s'entendre proférer ces mots, et elle s'arrêta de crainte qu'ils ne soient venus aux oreilles de la fillette. Mais aucun son n'était sorti de ses lèvres, il n'y avait que le bruit du vent et les fortes notes joyeuses d'un merle qui chantait dans un grenadier.

Lorsqu'elle entra dans la chambre obscure et vit la bonne grosse face ronde de sa cousine tout allongée, sombre et baignée de sueur, avec le masque de la souffrance remplaçant l'habituelle jovialité, la mère sentit son corps à elle plein et lourd, comme si c'était elle qui devait enfanter, et non l'autre femme. Elle prit le bébé, l'enveloppa dans un linge, puis, libre de retourner aux champs, elle s'en sentit incapable. Elle alla chez elle d'un pas nonchalant. L'aïeule s'écria :

« Quoi donc ? Est-ce le moment de manger ? Je n'ai pas faim. »

Puis la petite sortit en courant, la main sur les yeux, et demanda : « Est-ce déjà l'heure d'allumer le feu, mère ? »

Et la jeune femme répondit, indifférente : « Non, il est encore trop tôt, mais je me sens étonnamment lasse aujourd'hui, je vais me reposer », et elle alla s'étendre sur son lit.

Elle ne trouva aucun repos, elle se leva, s'empara du tout petit, et le tint avec violence contre sa poitrine. Elle découvrit son sein et voulut obliger l'enfant à le prendre. Mais il se débattit et le repoussa, étonné de cette rudesse à laquelle il n'était pas habitué, et puis il n'avait pas faim et voulait jouer. Une étrange et sombre colère s'empara de la mère ; elle le battit et le déposa à terre avec force. Il se mit à crier et elle marmotta : « Tu veux boire quand je ne suis pas disposée à t'en donner, et maintenant que je désire te faire téter, tu refuses. »

Et elle éprouvait une sorte d'amère jouissance à le voir étendu par terre, en pleurs. La grand-mère entendit les hurlements ; elle appela, et la petite fille accourut pour ramasser son frère. La jeune femme sentit le calme renaître en elle, elle ne laissa pas la fillette prendre l'enfant, mais elle le releva brusquement elle-même, l'épousseta et essuya avec la main le visage baigné de larmes. Elle se faisait des reproches, honteuse d'avoir fait retomber sa souffrance sur l'enfant.

Mais à partir de ce moment-là, il eut moins de plaisir à prendre le sein, et la légère consolation qu'elle en retirait lui fut enlevée.

## CHAPITRE VIII

DEPUIS sa jeunesse, cette femme enfermait en elle-même de silencieuses ardeurs. Elle ne s'empressait pas, comme certaines, pour regarder les jeunes garçons et examiner tous les hommes qui passaient. Elle avait un cœur profond dont elle n'osait explorer les abîmes. Avant son mariage, quand elle se trouvait seule, ses pensées ne se dirigeaient jamais vers les hommes pour eux-mêmes, et quand d'étranges désirs s'élevaient, insondables, de son être, elle ne leur portait aucune attention et ne cherchait à savoir, ni pourquoi, ni d'où ils venaient. Elle poursuivait sa tâche sans broncher et supportait ce trouble avec patience dans une silencieuse attente. Un peu de clarté ne lui vint qu'après ses noces, lorsqu'elle sut exactement ce qu'était un homme. Son désir profond et muet se distilla en quelque sorte, si bien que même pendant ses colères, lorsqu'elle se fâchait contre son mari, elle sentait qu'elle ne pouvait pas vivre sans lui. Ce désir impatient, concentré, s'accumulait parfois en nuages orageux et l'entraînait à des fureurs sans cause contre celui qu'elle aimait ; elles duraient jusqu'à leur aboutissement. Ils s'étreignaient l'un l'autre et elle prenait sa satisfaction à l'antique et simple manière ; ainsi, l'apaisement lui était rendu.

Cependant l'homme ne lui suffisait pas. Il lui fallait concevoir par lui et sentir un enfant prendre vie et forme dans sa chair. Alors, seulement, l'acte était complet. Pendant que l'enfant s'agitait et grossissait en elle, elle circulait, éblouie de bonheur, arrivée à sa plénitude. Elle avait beau s'impatienter contre ses gosses, quand ils se trouvaient sous ses pieds, et se fâcher lorsqu'ils criaient, pleurnichaient, ou faisaient des caprices comme tous les enfants, chaque fois qu'elle s'apercevait des signes d'une nouvelle conception, elle éprouvait un doux contentement de son être, comme si, repue et reposée, elle avait dormi, en sorte que son corps ne désirait plus rien.

Même autrefois, du temps où elle était fille, chez son père, au milieu d'un village à peine plus grand que ce hameau dans les montagnes, les nouveau-nés l'attiraient. La maison paternelle était remplie d'enfants dont elle était l'aînée et auxquels elle servait de mère. Elle se sentait fatiguée parfois du travail de la journée, les petits l'agaçaient le soir à tourner autour de ses jambes et elle leur criait de se sauver, mais jamais, malgré cela, elle ne cessait de les aimer. Leur petitesse l'attirait, l'attendrissait, et souvent il lui arrivait de soulever un marmot, chez elle ou chez ses voisins, et de le tenir contre elle, d'aspirer fortement son odeur et de le dorloter tant qu'il la laissait faire. Elle en éprouvait une joie ardente qu'elle ne s'expliquait pas.

Son cœur était attiré par tout ce qui s'appuyait sur elle ; tout ce qui sentait la jeunesse. Au printemps, elle aimait les poussins, les canetons qui sortent de leur coquille. Elle mettait beaucoup de zèle à nourrir les petits vers à soie et prenait plaisir à les voir grandir. Elle regardait pousser ces minuscules brins de fil vivants, qui devenaient gros et gras. Quand ils faisaient éclater leurs cocons, sortaient avec leurs ailes et s'appariaient, papillon contre papillon, elle vivait d'abord cette recherche, puis cette satisfaction, dans son propre corps.

Un jour, lorsque tous les enfants de la maison paternelle avaient grandi, et qu'elle-même se préparait au mariage, elle fit une chose qui éveilla ses sens plus qu'aucune présence masculine ne l'avait fait jusqu'ici. Il y avait, chez des voisins, un petit garçon qui ne marchait pas encore. Un gros poupon bien rond, entièrement nu, qu'une sœur aînée promena tout l'été sur son dos, maintenu par une bande d'étoffe ; et elle, à la veille de ses noces, défit la bande et prit l'enfant à la grande joie de la fillette qui, délivrée de son fardeau, courut s'amuser.

Elle en vint à rechercher chaque jour, parmi ceux du village, le bambin à face de lune. Il devenait son favori, sa plus grande joie ; elle le tenait et respirait ses mains potelées, prenait plaisir à ses joues rondes, sa petite bouche rose ; elle le promenait partout à cheval sur sa forte hanche. Quand sa mère à elle s'écriait : « N'y a-t-il pas assez d'enfants dans cette maison pour que tu ailles en chercher un autre quand j'ai fini de concevoir ? », elle répondait en riant : « Je crois que je ne me lasse jamais des bébés. »

Bientôt, à son insu, le contact de l'enfant fit naître en elle un ardent désir qu'elle n'avait jamais ressenti auparavant. Ainsi que toutes les femmes, elle désirait des fils, et considérait que c'était son droit d'en avoir plus tard. Mais ce robuste enfant aux yeux calmes fit plus qu'éveiller cette envie, et ce qui avait débuté comme un jeu devint quelque chose de plus : une profonde et mystérieuse passion, dirigée dans un sens qu'elle ignorait.

Elle cherchait une excuse pour s'éloigner, seule, lorsqu'elle tenait le bébé dans ses bras, et que chacun se trouvait occupé aux champs ou à la cuisine. La sœur s'en réjouissait et la jeune fille restait assise, le bel enfant sain serré contre elle. Elle murmurait à son oreille et le calmait, sentant le petit corps rondelet s'abandonner dans ses bras. Il avait à peine quelques dents, et parfois elle mâchait du riz ou un gâteau et glissait cette nourriture de ses lèvres dans celles du bébé. Quand, avec une expression grave et étonnée, il suçait ce qui lui tombait dans la bouche, il riait sans savoir pourquoi, car elle n'éprouvait aucune gaieté de ce farouche désir, si douloureux et profond, qu'elle ne savait comment calmer.

Un peu avant son mariage, elle se trouva seule, un jour, avec l'enfant. Il était presque midi, et la fillette, en retard, ne venait pas chercher son frère, bien qu'il fût l'heure de la tétée. Le petit pleurnichait, s'agitait, et la jeune fille, voyant qu'il avait faim, céda à une violente poussée du sang ; elle ressentit une sourde et brusque ardeur qui l'entraîna malgré elle, obscurément. Elle monta dans sa chambre et ferma bien la porte ; puis elle déboutonna sa veste avec des mains tremblantes et mit l'enfant à son jeune sein, si frêle. Il s'en empara goulûment et le suça très fort. Alors, tandis qu'elle se penchait sur ce visage de bébé, un tel tumulte ébranla sa chair, que les larmes lui montèrent aux yeux et que des sons entrecoupés, qui n'étaient pas des mots, jaillirent de ses lèvres. Elle n'avait jamais soupçonné pareil émoi, et elle serrait le petit contre elle, sans savoir ce qu'elle éprouvait : ce tressaillement dans ses entrailles, cette passion, qui dépassait dans sa grandeur l'enfant qu'elle tenait, qui la dépassait elle-même.

Puis la tension se brisa. La mince poitrine était vide, l'enfant gémissait, déçu, et elle boutonna sa veste. Un peu honteuse de ce qu'elle venait de faire, elle sortit vivement, croisa la fillette qui réclamait son frère, et qui se hâta de le rendre à la mère.

Cet instant avait amené chez la jeune fille un éveil des sens qui compta davantage peut-être, pour elle, que le mariage lui-même. L'homme qu'elle épousa prit par la suite une place d'autant plus grande dans sa vie, qu'il la rendait mère, et ce n'était pas pour lui seul qu'elle l'aimait.

C'est ainsi qu'elle était au temps de sa jeunesse inexpérimentée. A présent, dans la maturité de sa chair, en toute connaissance et dans le plein épanouissement de son corps de femme, elle demeurait seule et abandonnée. Chaque jour, ses enfants grandissaient, et, à mesure qu'ils s'éloignaient de leur enfance, elle les sentait moins à elle.

L'aîné poussait droit, mince et silencieux. Il prononçait peu de paroles, mais s'efforçait de remplir de lourdes tâches. Lorsque sa mère voulait prendre la grossière charrue de bois, pour la ramener à la maison, la journée terminée, il s'en emparait, mettait la lourde charge sur ses épaules maigres, comme un joug, et rentrait en trébuchant sur les mottes de terre. Souvent, elle se sentait trop lasse pour protester. C'était lui à présent qui tirait l'eau du puits, nourrissait le buffle et se débattait pour accomplir sa part de travail aux champs, comme s'il était son propre père. Mais en agissant ainsi il se séparait de sa mère d'une façon obscure, tout en partageant son labeur très scrupuleusement. Il se montrait souvent obstiné et elle sentait, sans en comprendre la raison, qu'il s'éloignait d'elle physiquement ; il n'aimait pas à se trouver près d'elle et s'en écartait comme si elle avait dégagé une odeur qui lui était désagréable. Souvent, ils se querellaient pour une cause futile. Si, par exemple, elle lui expliquait comment il devait tenir son sarcloir, il persistait, même si cela lui rendait le travail plus pénible, à s'en servir à sa manière. Ils se disputaient sur ce point et sur d'autres tout aussi insignifiants. Cependant chacun se rendait vaguement compte que le véritable sujet de leur dissentiment était ailleurs, avait une raison profonde que l'un et l'autre ignoraient.

La fillette, avec ses yeux à demi aveugles, n'était pas non plus une source de joie pour sa mère. La pauvre enfant, si patiente, faisait cependant de son mieux et ne se plaignait pas davantage que par le passé. Le petit garçon marchait et courait à présent. Il aimait à jouer dans la rue, et à batailler avec ceux de son âge. Sa sœur venait alors rejoindre sa mère et son frère aîné, occupés dans les champs. Mais là aussi, elle embarrassait plus qu'elle n'aidait, surtout s'il s'agissait de travailler dans de jeunes semis. Elle y voyait si mal, qu'elle confondait les plants avec les mauvaises herbes et les arrachait à leur place. Son frère lui criait avec colère : « Va-t'en, car tu ne nous aides guère, je t'assure. Va t'asseoir à côté de la vieille grand-mère. »

Et lorsqu'elle se relevait à ces mots, profondément blessée, mais souriant à demi, il lui criait de nouveau, d'une voix perçante : « Regarde où tu marches, tu écrases les semis ! »

Elle se sauvait alors, trop fière pour rester, et sa mère, entre son fils et sa fille presque aveugle, les comprenait cependant tous les deux. Le jeune garçon était harassé par un travail au-dessus de son âge, et la fillette souffrait avec trop de patience. Elle lui disait en soupirant : « C'est vrai, pauvre petite, que tu n'es pas très utile, car tu ne peux même pas coudre avec des yeux dans cet état. Mais rentre balayer, préparer le repas et allumer le feu. Tu fais cela assez bien. Veille au petit ; fais attention à ce qu'il ne se noie pas dans la mare, car c'est lui le plus hardi et le plus têtu d'entre vous, et n'oublie pas de donner du thé à la vieille de temps à autre. C'est là qu'est ta tâche et tu peux m'aider. Dès que j'aurai un instant de libre, j'irai t'acheter du baume pour tes yeux. »

Elle cherchait ainsi à la consoler, mais la petite, de son côté, ne la réconfortait guère, toujours assise en silence heure après heure, à essuyer l'eau qui coulait de ses paupières douloureuses, et à sourire de son sourire patient et figé. Parfois, lorsque la mère la regardait, écoutait les colères de son fils et voyait l'ardeur que le plus jeune mettait au jeu, elle se demandait avec amertume pourquoi ils lui donnaient si peu de satisfaction à présent, quand. tout petits, elle les admirait et leur trouvait tant d'agrément.

Parfois, le soir, la mère jetait un coup d'œil d'envie vers la demeure de son cousin. Il y avait là un brave et honnête mari, pas beau, souillé de terre, beaucoup moins soigné et joli garçon que ne l'avait été le sien, mais présentable cependant. Il allait à son travail journalier et revenait chez lui manger et dormir selon le devoir des hommes. Il procréait des enfants régulièrement et bien. Sa femme était assise, gaie, insouciante, heureuse de son dernier-né, qu'elle tenait sur ses genoux ; une âme joyeuse, superficielle, dont la langue bavarde ne devenait jamais méchante, et avec cela, c'était une excellente voisine. Souvent elle arrivait en courant, partageait un morceau de viande avec la mère, donnait une poignée de fruits aux enfants, une fleur en papier qu'elle avait faite pour piquer dans les cheveux de la fillette. C'était une maison bien remplie, pleine de bonté et de contentement. La mère en éprouvait de la jalousie, tandis que le désir grandissait en elle, profond, morne, insatisfait.

## CHAPITRE IX

Si seulement elle avait pu oublier l'homme, sentir que tout était terminé entre eux et le savoir mort, enterré dans le sol, immobile et disparu à jamais, la vie lui eût semblé plus facile. Si le hameau l'avait considérée comme une veuve, elle serait arrivée à maintenir, dans sa force et sa pureté, ce véritable veuvage. Et si elle avait entendu les villageois s'écrier sur son passage ou dire dans un endroit où cela lui serait répété : « Cette femme du défunt Li est vraiment une veuve vertueuse ; le voici mort et enterré et elle poursuit son chemin, énergique et fidèle. Aux temps anciens on eût dressé en son honneur une arche de marbre, ou de pierre, tout au moins. » De semblables paroles l'eussent encouragée ; elle se serait trouvée dans la nécessité de se conformer à l'image qu'on se faisait d'elle. Et, la prenant à cœur, elle eût vécu meilleure qu'elle n'était, parce que les hommes l'auraient jugée telle.

Mais, bien au contraire, il lui fallait répondre à ceux qui venaient s'informer de son mari ; leur mentir sur un ton joyeux, et ces mensonges l'obligeaient à songer sans cesse à lui. On lui criait : « Vous voilà ! maîtresse, avez-vous reçu une lettre ou vu un messager dernièrement, qui vous apportait des nouvelles de votre mari ? »

Et elle, en route vers le marché, sa charge sur l'épaule, ou bien ramenant avec lenteur ses paniers vides, devait répondre, mortellement lasse : « Oui, j'ai entendu dire qu'il allait très bien, mais il ne m'écrit qu'une fois par an. »

A son retour elle se sentait brisée par ses mensonges. Dans sa triste solitude elle s'écriait en elle-même : « Je suis une pauvre femme bien malheureuse, car je n'ai, en fait d'homme, que celui que je me forge avec des mots et des tromperies. »

A ces moments-là, elle restait assise, le regard fixé sur la route, et elle se disait, accablée : « Sa robe bleue se verrait de très loin si l'idée le prenait de revenir chez lui. Elle était d'un si beau bleu, si limpide ! »

Chaque fois qu'elle apercevait une tache bleue, son cœur bondissait dans sa poitrine et, lorsqu'un homme vêtu de bleu passait à une certaine distance, elle ne pouvait s'empêcher de s'arrêter dans son travail et de retenir sa respiration pour voir d'où il venait ; elle abritait ses yeux du soleil quand elle se trouvait aux champs ; le sarcloir lui tombait des mains pendant qu'elle se demandait la direction qu'il prendrait ; s'il se rapprocherait ou s'éloignerait encore ? Et ce n'était jamais lui !

Le bleu est une teinte très commune : l'homme le plus ordinaire et le plus pauvre peut s'en revêtir.

Parfois ses propres mensonges l'excitaient contre lui : elle ne l'en jugeait pas digne ; s'il était revenu alors, elle l'aurait accablé de malédictions, laissant éclater sa colère. Mais elle l'aimait, parce qu'il la faisait souffrir. Parfois cet état de révolte se prolongeait des jours entiers ; elle se montrait maussade et brusque envers les enfants et la grand-mère et chassait brutalement le chien avec son mouchoir ou son sarcloir. Mais, au fond, elle n'en souffrait que davantage.

Elle traversait une de ces crises-là, lorsque vint l'époque de mesurer le riz, après la moisson. Une fois de plus, elle s'était débattue seule avec les récoltes, aidée seulement par son jeune fils et par le bon cousin qui venait de lui donner un ou deux jours, et maintenant il s'agissait de diviser le grain battu. Il lui semblait que cette ardeur inassouvie et cette colère en elle avaient mis son cœur à vif, si bien que tout ce qu'elle voyait la blessait, et qu'elle discernait et éprouvait des choses qui, en général, passent inaperçues.

Tandis que le désir l'oppressait, elle vit l'agent, debout sur le sol de l'aire, à côté du tas de riz battu. L'homme était grand, vêtu d'une robe de soie grise, il avait une belle tête carrée, hardie. Il gardait toujours ses mêmes façons d'être, dont elle se souvenait ; son apparente courtoisie, ses gros yeux à demi voilés par d'épaisses paupières, et la jeune femme comprit à la manière dont il la dévisageait sous ces lourdes paupières tombantes, qu'il venait d'entendre parler d'elle, du départ de son mari pour d'autres contrées, du retour toujours différé. Elle avait aujourd'hui un cœur si plein, qu'il devinait ces choses, et en réalité, l'agent était un de ces hommes qui ne peuvent pas regarder une femme seule sans se demander en secret ce qu'elle est, ce qu'elle pense, et comment son corps est fait. Il avait l'âme d'un chien malgré sa belle prestance, sa figure large et pleine et sa voix, qu'il savait rendre franche et joviale. Malgré son amabilité forcée, ses paroles faciles, les fermiers le détestaient ; ils le craignaient aussi parce qu'il avait le caractère dur et vif, un grand corps et deux larges poings qu'il serrait et tenait contre ses cuisses quand on le contrariait ou le contredisait. Et, lorsqu'il soulevait ses paupières, il montrait des yeux qui luisaient, terribles, noirs et cruels. Parfois, cependant, on s'égayait avec lui, car, lorsqu'on lui donnait sa part sans marchander, il plaisantait pour mettre du baume sur la plaie, et s'exprimait de telle façon qu'on ne pouvait pas s'empêcher de rire de ce qu'il disait, même à contrecœur.

Ainsi il se montra gai ce jour-là quand il vint à la maison, où, comme il le savait, la mère habitait seule, sans son mari. Il cria joyeusement à l'aîné des garçons : « Je vois que ta mère peut se passer de ton père, avec un homme comme toi pour travailler aux champs ! »

Et le gamin, ravi, dandina son petit corps et se vanta, timide et fanfaron à la fois : « Oh oui, je fais ma part. » Puis il cracha pour imiter les grandes personnes, allongea les bras contre ses maigres hanches, et se sentit un homme fait.

L'agent se mit à rire ; il regarda la mère avec bienveillance, comme pour s'amuser avec elle de l'attitude de l'enfant. La jeune femme ne put s'empêcher de sourire en retour. Elle offrit à l'homme le bol de thé qu'elle avait préparé, ainsi qu'elle le faisait par politesse pour chaque hôte de passage. En se trouvant si près des yeux rieurs, elle ne put s'empêcher de les regarder et laissa paraître dans les siens, sans qu'elle s'en doutât, l'avidité de son grand cœur affamé. L'agent la dévisagea ; il sentit son désir à elle, le sien y répondit, et il devint grave. Il prit le bol qu'elle lui tendait et lui toucha la main comme par inadvertance. La femme, saisie par ce contact, en comprit la signification brûlante.

Elle se détourna, honteuse, et refusa d'écouter le cri de son cœur. Elle s'occupa du grain, et brusquement eut peur d'elle-même ; elle dit tout bas à son fils : « Cours chez le cousin, et demande-lui de venir », et elle songeait pour calmer sa folie : « Quand il sera là... quand notre bon cousin sera là... »

Mais l'enfant, fiérot et obstiné, discutait : « Je suis là, mère, disait-il, et j'aiderai. Il n'y a besoin de personne avec moi. »

L'agent frappa sa cuisse épaisse et poussa un gros rire. Profitant de l'innocence du gamin, il s'écria :

« Bien sûr, mon garçon, ta mère peut se passer de l'aide d'un autre homme ! »

Enhardi par cet encouragement, le petit s'aperçut du manque de conviction avec lequel sa mère protestait : « Il vaudrait mieux que notre cousin soit ici... », et il déclara : « Non, mère ! je ne l'appellerai pas. Je suis assez grand. » Il s'empara des balances et se pavana en remplissant la mesure du riz. La femme riait, mal à l'aise, mais une force la poussait à céder et elle le laissait faire.

Lorsque le grain fut pesé, elle en remplit une mesure de plus pour donner à l'agent ; il la refusa d'un geste noble, caressa sa longue lèvre supérieure et fixa un regard avide sur le visage de la femme — car personne n'était là, sauf les enfants et l'aïeule qui branlait la tête, endormie, sous l'auvent de la porte. L'homme dit à la mère : « Non, je ne veux pas, vous êtes une femme seule, votre mari est parti et tout ceci est le fruit de votre travail. Je ne prendrai que ce qui revient au propriétaire, pour m'éviter des reproches. Quant à moi, je n'accepterai de vous aucune redevance, maîtresse. »

Et la mère eut peur tout à coup ; malgré la douce ardeur dont elle souffrait, confuse, elle insista pour qu'il prît ce qu'elle lui devait. Il refusa du geste, sa main posée sur celle de la femme, puis, très décidé, il versa le riz qui lui était destiné dans le panier où la femme conservait le sien.

Elle n'eut pas la force d'insister davantage. Les manières souriantes, le visage uni de l'homme, sa luxueuse robe grise masquaient une force étrange qui émanait de lui sous le brillant soleil d'automne, et qui enveloppait la femme, la caressait comme une langue de feu. Semblable à une jeune fille, elle pencha la tête et garda le silence. Lorsqu'il lui rendit son grain et s'éloigna en riant et en saluant, elle ne put pas prononcer la moindre parole. Debout, ses pieds nus et bruns enfoncés dans des souliers troués, elle gardait le silence et tordait le coin de sa veste de cotonnade rapiécée.

Après son départ, elle leva les yeux et le vit s'éloigner ; il se retourna au même instant et surprit son regard. Il salua et rit de nouveau, mais de telle manière qu'elle regretta ensuite mille fois de ne pas avoir tenu sa tête baissée. Au moment même l'impulsion avait été irrésistible. Son fils s'écria, joyeux :

« Un brave homme, mère, de n'avoir pas pris ce que nous lui devions. Je n'ai jamais entendu parler d'un agent assez bon pour refuser ce qui lui revient. »

Et lorsque la jeune femme passa à la cuisine, en silence et toute rêveuse encore de ce qui venait de se passer, l'enfant la suivit en courant : « N'est-il pas bon, mère, de n'avoir rien accepté pour lui-même ? » Et, comme le petit n'obtenait aucune réponse, il continua à crier avec impatience : « Mère, mère !... »

La mère tressaillit brusquement et répondit avec une curieuse précipitation : « Oh... oui... mon fils. »

Et lui continuait sans arrêt : « Un homme si bon, mère ! Vois donc, il n'a rien voulu accepter de toi parce qu'il sait combien nous sommes pauvres, depuis le départ de notre père. »

La mère s'arrêta net, le couvercle du chaudron soulevé dans sa main. Elle considéra fixement son fils et, honteuse, mais encore sous l'effet de cette douce fièvre qui la rendait malade, elle sentit un étrange écho vibrer au fond de son cœur : « Ne voulait-il donc rien accepter de moi ? » Mais elle ne répondit pas à l'enfant.

L'homme non plus n'arrivait pas à oublier l'ardeur de la femme. Chaque prétexte lui était bon pour revenir au hameau. Tantôt il s'agissait de vérifier un compte mal établi, tantôt il avait à se plaindre d'un fermier qui n'avait pas versé bonne mesure au propriétaire, et celui-ci s'en plaignait. Le plus souvent il se rendait chez le cousin, dont la maison était voisine de celle de la mère. Il y allait à tout propos ; il apportait une nouvelle graine de cotonnier très estimée dans d'autres contrées ou bien il se faisait suivre d'un homme chargé de la chaux qui fertilise les terres. Le cousin, stupéfait de ces nombreuses visites, craignait quelque embûche et s'inquiétait de ne pas la découvrir. Il dit à sa femme :

« L'agent doit avoir une intention bien mauvaise pour qu'il mette si longtemps à partir. »

Et il surveillait l'agent avec inquiétude. Assis, il ne le quittait pas des yeux ; il s'impatientait cependant de ne pouvoir aller à son travail, mais craignait d'être impoli vis-à-vis de quelqu'un capable de lui nuire.

Ni le cousin, ni la femme du cousin ne s'apercevaient des regards que l'agent coulait de dessous ses paupières vers la femme, de l'autre côté du chemin. Lorsqu'elle se trouvait absente, il demeurait à peine, mais au contraire, s'il la voyait, il s'installait en face d'elle et criait d'une voix faussement joviale :

« Mon bon ami je n'avais rien d'autre à vous dire. Je suis un brave homme moi aussi, un paysan, qui aime par-dessus tout à se reposer sur le seuil d'un honnête cultivateur et à se laisser baigner par les rayons du soleil d'automne. »

Mais il ne quittait pas des yeux l'endroit où, de l'autre côté du chemin, la femme cousait ou filait.

C'était la saison pendant laquelle la nature s'enfonce peu à peu dans l'engourdissement de l'hiver. Le blé était semé dans les terres sèches et attendait une averse pour germer. La mère prenait quelques loisirs ; elle s'asseyait devant sa porte, reprisait les vieux vêtements et faisait des souliers neufs ; sa fille y voyait trop mal ; il n'y avait rien à espérer de son aide. La jeune femme se mettait en plein soleil, à la chaleur. Elle écoutait, tout en rêvant à demi, les bavardages de l'aïeule et les paroles de ses enfants. Ses lèvres gardaient un pli calme, sa peau était bronzée et dorée par le soleil, et ses cheveux luisaient, noirs et sains, fraîchement peignés, car elle avait le temps de se coiffer chaque jour. Elle paraissait encore plus jeune que son âge, bien qu'elle n'eût pas encore atteint ses trente-cinq ans.

Elle savait parfaitement que l'homme se trouvait à quelques pas de là, de l'autre côté du sentier ; mais elle évitait de lever les yeux et, parfois, lorsqu'elle sentait peser trop lourdement sur elle le regard de l'agent, elle se levait, entrait dans la maison et y demeurait jusqu'à son départ. Elle comprenait bien pourquoi il venait et la dévisageait ainsi. Elle ne pouvait pas oublier cet homme.

Tout le long de l'hiver, elle songea à lui. Lorsque le temps devint trop rigoureux, il dut renoncer à faire ce trajet malgré ses desseins. Et quand la neige tomba et que les vents se mirent à souffler, âpres et secs, du nord-ouest, elle aurait pu l'oublier. Mais elle n'y parvint pas.

Une fois de plus, on atteignit le nouvel an. Comme aux fêtes précédentes, elle se rendit en ville, vendit du grain, changea la monnaie en un billet, et se mit en quête d'un autre scribe qui écrivit à son adresse une lettre qui semblait venir de son mari. Une fois de plus le hameau écouta les nouvelles, et sut que l'homme lui avait envoyé de l'argent.

Toute l'envie qu'elle suscita, les paroles et les compliments qu'elle s'attira n'arrivèrent pas à combler le vide de son âme. Même l'orgueil ne lui suffisait plus. Elle écouta la lecture de la lettre, le visage calme et indifférent. Mais, le soir venu, elle mit cette lettre dans le four, parmi l'herbe qui brûlait. Ensuite elle alla dans sa chambre et au bout d'un moment ouvrit le petit tiroir de la table et en retira trois lettres, car l'absence de l'homme remontait loin ! Elle les emporta et les déposa sur la flamme. Son fils la surprit et s'écria stupéfait :

« Est-ce que tu brûles les lettres de mon père ?

— Oui, répondit la mère froide comme la mort, les yeux fixés sur les flammes rapides.

— Mais comment saurons-nous où il se trouve ? dit l'enfant d'un ton larmoyant.

— Je le sais mieux que jamais. Crois-tu donc que je peux oublier ? » dit la mère.

C'est ainsi qu'elle vida son cœur et fit place nette.

Mais comment un cœur peut-il vivre lorsqu'il est vide ? Un jour, peu après, elle vint à la ville pour échanger son billet contre de la monnaie. Elle s'en tirait seule à présent et réclamait rarement l'aide de son cousin. Lorsqu'elle eut en main ses dix pièces sonnantes, elle se retourna pour partir, mais un homme se tenait dans la rue, près de la porte. Il souriait et lissait sa lèvre supérieure. C'était l'agent du propriétaire.

Depuis la fin de l'automne, il ne l'avait pas vue d'aussi près, et personne autour d'eux ne les connaissait. Il la regarda en souriant d'un air hardi, et lui demanda : « Que faites-vous donc ici, maîtresse ?

— Je changeais un peu d'argent... » Elle s'interrompit, car elle avait failli ajouter : « Que mon mari m'a envoyé », mais les paroles ne purent passer ses lèvres, elle ne les prononça pas.

« Et puis ensuite ? » dit-il, les paupières relevées et les yeux fixés sur elle avec insistance.

Elle baissa la tête et essaya de parler selon son habitude : « Je voulais m'acheter une épingle d'argent ou simplement argentée, pour retenir mes cheveux. La mienne était usée à force de servir ; je l'ai cassée hier. »

Elle avait dit la vérité, sans s'en apercevoir ; son épingle était réellement cassée. Mais elle s'éloigna de lui, car elle se sentait honteuse de parler à un homme en pleine ville, même parmi des étrangers ; il ressortait parmi les autres avec sa haute taille, son visage carré, sa pâleur, et on commençait à les dévisager avec curiosité sur leur passage.

L'homme la suivit. Tandis qu'elle continuait son chemin tranquille et modeste, elle avait conscience de cette présence derrière elle, et elle craignait de ne pas conformer ses actes à ses paroles. Aussi elle entra dans une petite bijouterie qu'elle connaissait et, debout devant le comptoir, demanda à examiner des épingles de cuivre argenté. En attendant, elle joua avec des boucles d'oreilles en argent qui se trouvaient sous sa main. Soudain l'agent s'avança et, sans avoir l'air de la connaître, il demanda au bijoutier : « Combien vendez-vous ces boucles d'oreilles ? »

Le marchand répondit : « Je vais les peser et je vous les vendrai honnêtement, selon leur poids. »

L'agent, vêtu d'une robe de soie, devait sans doute être un meilleur client que cette paysanne en veste de coton bleue. Aussi le bijoutier ne s'empressa point de montrer les épingles. La jeune femme se contenta de rester immobile et de détourner la tête pour ne pas voir ce regard à la fois furtif et entreprenant. Et l'homme attendait avec une attitude nonchalante que le bijoutier eût posé les pendants d'oreilles sur les petites balances.

« Deux onces et demie », déclara-t-il à haute voix. Puis il ajouta plus bas, d'un ton enjôleur : « Si vous achetez des boucles d'oreilles pour votre dame, pourquoi ne pas y ajouter deux bagues ? En voilà qui sont assorties, ce sera un beau don, qui ira au cœur d'une femme. »

L'agent sourit, et dit avec insouciance : « Ajoutez-les », puis il expliqua en riant : « Mais elles ne sont pas pour une épouse. Ma femme est morte depuis six mois. »

Le bijoutier se hâta d'ajouter les bagues, heureux de faire une si belle vente, et il dit : « Alors, présentez ce cadeau à la nouvelle épouse. »

L'agent ne répondit rien, et, le regard fixe, caressa sa lèvre. Pas un instant il n'eut l'air de s'apercevoir de la présence de la paysanne. Il prit les bijoux une fois enveloppés, et s'en alla. Mais, dès qu'il eut le dos tourné, la mère soupira ; en le voyant s'éloigner, elle se sentit vaguement jalouse de celle à qui les bijoux étaient destinés, car elle avait toujours désiré en posséder de semblables, même avant son mariage. Et ils correspondaient exactement à ceux qu'elle prétendait s'être commandés, selon le désir de son mari. Souvent, les commères du village lui demandaient : « Où sont ces bagues dont vous parlez, montrez-moi leur dessin. » La mère se trouvait parfois très embarrassée, elle répondait : « Le bijoutier est en train de les ciseler », ou bien « je les ai serrées et je ne me souviens plus de l'endroit où je les ai mises. » Elle avait trouvé bien d'autres excuses encore cette année, lorsque la commère lui avait dit avec tant de malice : « Alors vous ne portez toujours pas ces bagues ? » et la mère avait répondu : « Je n'ai pas le cœur à cela. Je les mettrai le jour du retour de mon mari. »

Lorsqu'elle eut acheté l'épingle et l'eut piquée dans son chignon, elle prit le chemin du retour et la vision de ces objets précieux, si délicatement ouvragés, lui apparut de nouveau. Elle soupira et se sentit incapable de prendre sur son argent si durement gagné pour s'acheter un simple colifichet ; après tout, personne ne se souciait plus de sa mise et elle n'avait qu'à rester comme elle était. En proie à ces mornes pensées, elle sortit des portes de la ville et tourna dans l'étroit chemin de campagne qui relie le hameau à la grande route. Elle songea à son foyer et au souper qui l'attendait ; car le plaisir de la nourriture était devenu la seule satisfaction permise à son corps.

Soudain, l'homme surgit du crépuscule de cette courte journée d'hiver. Il parut brusquement, tout noir, et emprisonna le poignet de la femme dans sa grande main douce. Il n'y avait personne aux alentours. C'était l'heure où les paysans sont rentrés chez eux. On sentait le froid de la nuit, l'air était glacial, il faisait un temps par lequel personne ne se fût attardé au-dehors à moins d'y être contraint. Cependant il était là, il tenait son poignet, il le serrait ; et cette main d'homme qui pesait sur la sienne l'engourdissait, la frappait d'immobilité absolue.

Puis il prit le petit paquet de bijoux de sa main libre, l'enfonça dans celle de la femme qu'il tenait encore, et il lui replia les doigts en disant : « Je n'ai acheté ces ornements que pour vous, vous seule. Ils sont à vous. »

Puis il s'effaça dans l'ombre grandissante, sous le mur de la ville, la laissant seule avec ses bijoux.

Alors elle revint à elle et courut après lui en criant :

« C'est impossible... je ne peux pas ! »

Mais il avait disparu. Elle eut beau repasser la porte, et regarder autour d'elle à la lueur vacillante des boutiques ouvertes, elle ne le vit pas. Elle n'osait pas s'avancer plus loin en ville ; elle aurait eu honte de se trouver face à face avec l'agent, dans cette demi-obscurité. Elle attendit, incertaine et gênée, et les soldats qui gardaient les portes de la ville durent lui crier, impatientés : « Maîtresse, si vous voulez passer la porte ce soir, faites vite, car l'heure est venue de la fermer à cause des communistes, ces nouveaux bandits qui nous arrivent. »

Elle reprit son chemin, passa sur la colline et descendit dans la vallée. Au bout d'un moment elle enfonça les bijoux entre ses seins. Aussitôt le soleil couché, la lune se leva, immense, glacée et étincelante. Lorsque la femme rentra chez elle, les enfants étaient au lit et la grand-mère endormie. Seul le petit garçon se tenait éveillé ; à la vue de sa mère, il s'écria : « J'étais inquiet de toi, mère, et j'aurais marché à ton avance, seulement je craignais de laisser les enfants et ma grand-mère. »

Cette façon de désigner son frère et sa sœur, comme si lui-même était un homme par rapport à eux, n'amena pas le moindre sourire chez la mère. Elle répondit : « Oui, me voilà enfin, et bien lasse vraiment ! » Elle alla chercher un peu de nourriture qu'elle mangea froide, les bijoux toujours enfouis dans sa poitrine.

Lorsqu'elle eut achevé son souper, elle lança un regard vers le lit et s'aperçut, à la lueur de la bougie, que son fils aîné dormait à son tour. Elle ferma les courtines, s'assit à sa table, tira de son sein le petit paquet et défit le papier soyeux qui l'enveloppait. Les bagues s'étalèrent, blanches et luisantes. Les boucles d'oreilles étaient ornées de trois fines chaînettes qui portaient chacune une pendeloque. Pour les examiner de près, la mère les prit dans ses mains dures. Au bout d'une chaîne se trouvait un minuscule poisson, à l'autre pendait une clochette et à la troisième une étoile pointue. Ces ornements d'un travail si délicat auraient fait le bonheur de n'importe quelle femme. Celle-ci n'avait jamais tenu dans sa rude paume brune d'aussi jolies choses. Elle resta assise à les contempler, soupira et les enveloppa de nouveau, ne sachant qu'en faire, ni comment les rendre à cet homme.

Mais lorsqu'elle se fut glissée sous le couvre-pied, auprès des enfants, le sommeil ne vint pas.

Son corps était glacé par le froid humide de la nuit, ses joues restaient brûlantes, et elle fut longue à s'assoupir un peu. Elle rêva d'un objet étrange, qui brillait, et, en même temps, d'une main d'homme très chaude, qui se posait sur elle.

## CHAPITRE X

ELLE ne vit pas l'homme ce printemps-là, mais elle se souvenait de lui. Il reparut un jour au début de l'été. Les blés se teintaient d'or et la jeune femme avait terminé ses semis de riz en pépinière. Dans les carrés couleur de jade, auprès de la maison, les grains nouvellement germés montraient leurs jeunes tiges vertes que la grand-mère pouvait aisément protéger des oiseaux gourmands, avides de pousses tendres. Et la mère, durant ce temps-là, sentait peser son cœur abandonné et brûlant.

Mais, au commencement de l'été, un jour calme se leva, tout imprégné d'une suave chaleur inusitée. Les cigales lançaient leurs stridents appels d'amour jusqu'à leur note la plus aiguë, puis les voix s'alanguissaient et lentement retombaient dans le silence. Le soleil déversait ses rayons pareils à du vin chaud dans le fond de la vallée et sur l'unique rue du village. Les pavés unis en reflétaient la chaleur ; l'air rutilait et dansait au-dessus, et les petits enfants couraient tout nus et jouaient à travers ces effluves, leurs corps lisses luisant de sueur.

Aucune brise ne soufflait. Debout sur le seuil de sa porte, la mère se disait qu'elle n'avait jamais vu apparaître aussi tôt en été, ni si brusquement, une température à ce point suffocante. Le petit garçon courut au bord de la mare et s'assit dans l'eau. Il riait et criait à ses camarades de venir le rejoindre. L'aîné enleva sa veste, retroussa ses pantalons, posa sur sa tête un large chapeau de bambou ayant appartenu à son père, et se dirigea vers le champ où le maïs sortait du sol. La petite restait à la maison, recherchant l'obscurité, et la mère l'entendit soupirer. Seule la vieille femme se réjouissait. Elle s'installa en pleine lumière, dévêtit jusqu'à la ceinture son corps flétri et laissa le soleil pénétrer ses vieux os et ses seins, qui pendaient sur sa poitrine comme des morceaux de peau sèche. En apercevant sa bru, elle lui dit de sa voix flûtée : « Je n'ai jamais peur de mourir en été, ma fille. Le soleil me donne un sang nouveau et rajeunit mes os, pauvre vieille créature que je suis ! »

Mais la mère ne supportait pas la chaleur extérieure. Elle sentait déjà en elle-même un foyer trop ardent et, aujourd'hui, son sang en émoi bouillonnait dans ses veines. Elle se décida à sortir et déclara :

« Il faut que j'arrose un peu les rizières ; le soleil est desséchant, vieille mère. »

Elle prit son sarcloir, suspendit deux seaux vides sur son épaule et descendit l'étroit sentier qui conduisait à une seconde mare, placée légèrement au-dessus des pépinières. La marche lui parut satisfaisante ; l'air semblait plus vivifiant, moins étouffé que dans la rue.

La jeune femme poursuivit son chemin sans rencontrer personne, car à cette heure-là les hommes goûtaient le repos de l'après-midi. Si par hasard un paysan avait devancé les autres dans les champs, il s'était endormi, incapable de travailler ; il avait dû s'allonger à l'ombre d'un arbre, la figure abritée par son chapeau qui le protégeait des mouches ; à côté de lui se tenait son buffle, le museau penché, le corps détendu par la chaleur brûlante et la somnolence. La mère résistait cependant à ses rayons brûlants, car ils descendaient du ciel ; c'était préférable à une fournaise entre quatre murs, ou à cette chaleur qui lui brûlait les veines.

Elle sarcla les plants de riz puis, à l'aide de son outil, elle fendit le rebord supérieur du carré de terre et le relia à la mare par un fossé. Ensuite elle plongea dans l'eau, l'un après l'autre, ses deux seaux accrochés au bout d'une perche et les vida dans la tranchée qu'elle venait de creuser. Elle répéta ce mouvement plus d'une fois et la terre prit une teinte sombre et s'imbiba d'humidité. Il lui semblait nourrir un être assoiffé et lui donner la vie.

Au milieu de sa tâche, elle se redressa un instant, posa ses seaux et alla s'asseoir au bord de la mare pour se délasser. Elle lança un coup d'œil au nord vers le hameau, et vit un homme s'arrêter, parler à l'aïeule, et se diriger de son côté. Elle le reconnut lorsqu'il s'approcha. C'était l'agent du propriétaire. Elle avait encore ses bijoux et elle baissa la tête, se demandant de quelle manière elle pourrait revenir sur ce sujet sans l'offenser. Elle n'osait pas aller les chercher ni les lui rendre en plein jour, en vue d'un passant quelconque ou de la vieille femme qui, réveillée, serait prompte à remarquer ce qui ne la regardait pas.

L'homme s'avançait et, quand il rejoignit la mère, elle se leva lentement, car elle était d'un rang social inférieur, et de plus une femme doit se tenir debout devant un homme. Il l'interpella d'un ton dégagé : « Je viens simplement regarder les blés, maîtresse, lui dit-il ; juger de ce que sera la récolte d'après leur aspect. »

Mais, en prononçant ces mots, il promenait ses regards sur le corps de la jeune femme, à peine vêtu, à cause du temps, d'une veste et d'un pantalon bleus rapiécés, usés, qui lui collaient aux membres. Il finit par abaisser les yeux sur les pieds bruns et nus. Et elle dit d'un ton brusque, redoutant son propre cœur : « Les champs sont là-bas. Regardez-les et examinez-les. »

Il les considéra de loin sans se déplacer et déclara avec ses façons plaisantes d'homme de la ville : « Des champs en bon état, maîtresse ; on aura vu de plus vilaines récoltes que celle qui se prépare cette année. » Et il sortit un petit carnet sur lequel il inscrivit quelques mots à l'aide d'une sorte de bâton ; elle n'en avait jamais vu de semblable, car, sans qu'on le trempât dans l'encre, comme faisait le scribe, il marquait de lui-même les lettres en noir. La mère regarda écrire l'agent, un peu par curiosité, mais aussi par orgueil ; fière de se sentir remarquée par un homme important et instruit, même si c'était défendu. Et elle renonça à lui parler des bijoux, ce jour-là.

Lorsqu'il eut terminé, il sourit, caressa sa lèvre et lui demanda : « Si vous avez le temps, montrez-moi votre autre champ, semé d'orge, car je confonds toujours avec celui de votre cousin.

— Le mien est par ici, derrière la montagne », dit-elle presque involontairement, puis elle baissa les yeux et fit mine de reprendre son sarcloir.

« Derrière la montagne ! » répéta l'homme d'une voix insinuante, et il souriait en caressant encore sa lèvre avec sa main large et douce. Il insista : « Mais conduisez-moi donc, maîtresse ! »

Il la dévisageait d'une façon persistante et hardie. Ce regard l'ébranla ; elle posa son sarcloir et le suivit, marchant derrière lui selon l'usage, lorsqu'une femme accompagne un homme.

Le soleil tombait en plein sur eux ; la terre, tapissée d'herbe verte et moelleuse, était chaude à leurs pieds. Au bout de quelques pas, sous le brûlant soleil, la femme sentit soudain sa chair envahie d'une suave langueur. Sans se l'expliquer, elle éprouva une profonde jouissance à regarder l'homme qui la précédait. Elle contempla son cou robuste et pâle, luisant de sueur, ses membres qui se mouvaient sous la longue robe lustrée, d'étoffe légère, ses pieds, recouverts de chaussettes bien blanches et de souliers de toile noire ; et elle le suivait, pieds nus, en silence. En s'approchant de lui, elle huma l'odeur qui émanait de sa personne ; une odeur trop forte pour être du parfum et qui provenait tout ensemble de sa chair, de son sang et de sa sueur d'homme. Lorsqu'elle la sentit monter à ses narines, un désir si ardent s'empara de la jeune femme, qu'elle eut peur d'elle-même, de ce vers quoi elle se dirigeait. Elle s'arrêta sur le sentier herbeux, et s'écria d'une voix mal assurée : « J'ai oublié quelque chose pour ma vieille mère ! », et lorsqu'il se retourna et la regarda, elle balbutia de plus belle, la langue épaisse, le corps plein d'ardeur, faible tout à coup : « J'ai oublié une chose indispensable », et elle rebroussa chemin aussi vite que possible, le laissant là les yeux rivés sur elle.

Elle rentra tout droit et se glissa sur le seuil sans qu'on l'eût aperçue. Chacun s'était assoupi. La chaleur devenait plus accablante à mesure que la journée s'avançait. De l'autre côté du chemin, la cousine dormait, assise, la bouche entrouverte, son dernier-né endormi lui aussi sur son sein. Et ici, la grand-mère en faisait autant, le nez penché sur le menton, les vêtements glissés jusqu'à la ceinture comme lorsqu'elle se tenait au soleil. La fillette était sortie de la pièce étouffante et, pelotonnée contre une pierre fraîche qui lui servait d'oreiller, elle sommeillait à son tour, de même que son petit frère, étalé de tout son long, complètement nu, sous le saule.

La journée s'était transformée, devenait moins limpide ; l'immobilité de l'air s'accentuait pendant que la chaleur brûlante s'intensifiait. Du haut des montagnes, d'énormes nuages planaient, noirs, gonflés et monstrueux. Cependant ils brillaient, bordés d'argent, lumineux d'une sorte de clarté intérieure. Même le bruit d'un insecte, l'appel d'un oiseau étaient étouffés par le vaste et chaud mutisme de ce jour-là.

Mais la mère était loin d'avoir sommeil. Elle entra doucement dans la chambre obscurcie et silencieuse, et s'assit sur le lit. Le sang lui battait aux tempes ; le sang de son corps solide et assoiffé. Elle savait à présent ce qu'elle avait. Elle ne cherchait plus à se leurrer, à la manière d'une femme des villes, qui prétendrait être souffrante. Elle était trop simple pour se dissimuler à elle-même ce qu'elle éprouvait : jamais dans toute sa vie elle ne s'était sentie aussi effrayée, car elle comprenait que cette soif en elle tournerait en folie si elle n'était pas... Elle ne songeait même plus à la possibilité de repousser l'homme à présent qu'elle voyait que son propre désir était aussi violent que le sien, et elle gémit tout haut en se disant à elle-même : « Il vaudrait mieux qu'il ne veuille pas de moi. Oh ! je voudrais qu'il me repousse et que je puisse être sauvée ! »

Mais, tout en gémissant, elle se leva, poussée à quitter ce lit ; elle laissa le hameau endormi et retourna aux champs, revenant sur ses pas. Elle marcha sous les grands nuages sombres aux bords lumineux, entourée par les montagnes dont le vert net et blafard ressortait sur un fond noir. Elle avançait sous ce ciel, le long du sentier, qui contournait un petit sanctuaire en ruine. Dans l'embrasure de la porte, l'homme se tenait debout et l'attendait.

Elle fut incapable de passer outre. Lorsqu'il entra dans la chapelle, elle le suivit jusqu'au seuil et lança un coup d'œil à l'intérieur, où il restait dans la pénombre de la pièce sans fenêtre ; ses yeux luisaient dans l'obscurité comme ceux d'un animal au guet, et elle rentra à son tour.

Ils se contemplèrent dans ce crépuscule. Deux êtres en plein songe, désespérément acculés à ce qu'il n'était plus dans leur pouvoir d'éviter ; ils se préparèrent à ce qui devait arriver.

Cependant la femme hésita un instant. Elle sortit de son rêve et aperçut les trois dieux dans le sanctuaire ; le plus grand, un grave vieillard, regardait droit devant lui, et à côté se trouvaient ses deux acolytes, d'honnêtes petits dieux au bord de la route, placés là pour ceux qui s'arrêtent dans leur chemin afin d'adorer ou de s'abriter. Elle prit le vêtement qu'elle venait de retirer et le lança sur leurs têtes, voilant leurs yeux fixes.

# CHAPITRE XI

DANS la nuit de ce même jour, le vent s'éleva tout à coup ; il rugissait comme un tigre au loin dans la montagne et chassa les nuages du ciel, où ils demeuraient en suspens, lourds de pluie, leur clarté éteinte depuis longtemps. Des torrents se déversèrent, noyant la chaleur de l'après-midi. Enfin, lorsque les vapeurs se dispersèrent, l'aube parut, fraîche et pure, tombant d'une voûte grise et tranquille.

Mais avec la tempête et le froid, la mort, si longtemps différée, descendit soudain sur l'aïeule. Elle avait dormi trop longtemps et son vieux corps s'était trouvé nu, prêt à recevoir le souffle du vent au coucher du soleil. Lorsque la mère rentra au crépuscule, silencieuse, comme si elle revenait des champs après un honnête labeur, elle trouva la vieille femme au lit, glacée par de brusques frissons, par des douleurs, et qui criait : « Un méchant esprit s'est emparé de moi, ma fille ! Un mauvais souffle s'est abattu sur moi ! »

Elle gémissait et tendait sa pauvre petite main flétrie. La mère s'en empara et la trouva sèche et brûlante.

La mère en éprouvait une sorte de jouissance, heureuse de pouvoir s'occuper sans trop songer à son propre cœur ni à sa douce faute. Elle murmura : « Il y avait un vilain ciel noir ; j'ai failli revenir de peur que vous ne soyez restée assise sous ces nuages maussades, mais j'ai pensé que vous verriez combien ils étaient sombres et vous mettriez à l'abri.

— J'ai dormi, gémit la vieille femme, j'ai continué à dormir et, quand je me suis réveillée, le soleil avait disparu et j'étais froide comme la mort. »

La mère se hâta de lui faire chauffer de l'eau avec du gingembre et des herbes fortes et lui fit boire ce breuvage. Malgré cela, la fièvre augmenta dans la nuit. L'aïeule se plaignait de ce qu'un génie malfaisait était assis sur sa poitrine ; il l'empêchait de respirer et lui enfonçait son couteau dans les poumons. Puis elle cessa de parler et sa respiration sortait, rauque, de sa poitrine comprimée.

La jeune femme était heureuse qu'on l'empêchât de dormir, satisfaite d'être obligée de rester toute la nuit auprès de sa belle-mère, de lui donner de l'eau quand elle en réclamait en gémissant, ou bien de remonter le couvre-pied lorsqu'elle le repoussait et criait qu'elle brûlait au milieu de ses frissons. Au-dehors, la nuit était noire et les pluies diluviennes frappaient le toit de chaume et le perçaient par endroits, si bien que la mère dut tirer de son coin le lit de l'aïeule, sur lequel l'eau tombait. Elle étendit aussi une natte de jonc au-dessus des enfants endormis, pour les abriter des gouttières. Elle faisait ces choses avec plaisir, contente d'être occupée toute la nuit.

Au matin, l'état de la pauvre vieille empira. On ne pouvait s'y tromper. La mère envoya son fils aîné chercher son cousin, qui vint aussitôt, accompagné de sa femme et de quelques autres voisins. Ils regardaient la grand-mère qui ne se rendait pas bien compte de ce qui se passait autour d'elle, l'esprit obscurci par la fièvre et par les pénibles efforts qu'elle faisait pour respirer. Chacun criait, indiquant une chose à tenter, un remède à appliquer, et la mère se hâtait de-ci, de-là, essayant tout à tour de rôle. A un moment donné, l'aïeule reprit conscience et vit la foule rassemblée auprès d'elle. Alors, d'une voix oppressée, elle dit : « Un mauvais génie est assis sur moi... C'est mon heure... mon heure ! »

La mère s'approcha bien vite et comprit que la vieille créature cherchait encore à dire des mots qu'elle n'arrivait pas à articuler, tout en tirant d'une main tremblante sur le linceul qu'elle portait et qui était entièrement rapiécé. Elle avait ri par le passé, chaque fois qu'on avait posé une pièce, et s'était écriée qu'elle survivrait encore à ce vêtement. Mais aujourd'hui elle continuait à le tirailler et, lorsque la mère se pencha très bas, elle prononça d'une voix entrecoupée : « Ce linceul rapiécé... mon fils... »

Les gens se regardaient, étonnés, mais le fils

aîné dit aussitôt : « Je sais ce qu'elle désire, mère... Elle veut son troisième linceul neuf et dormir dans celui que mon père avait promis de lui envoyer. Elle a toujours affirmé qu'elle survivrait à celui-ci. »

Le visage de la vieille femme s'éclaira faiblement, et tous ceux qui l'entendaient s'écrièrent : « Quelle énergie à son âge ! » et ils ajoutèrent : « Voici une vieille bien courageuse et elle aura son troisième linceul comme elle y comptait ! »

Une sorte de gaieté mourante, à peine perceptible, effleura la face creusée à mine de hibou, et l'aïeule, haletante, articula une fois de plus : « Je ne mourrai pas avant qu'il ne soit fait et... mis sur moi. »

En hâte, on se procura l'étoffe. Le cousin alla l'acheter, et la mère lui dit : « Prenez ce qu'il y a de meilleur en fait de bonne cotonnade rouge, et demain je vous rendrai l'argent, si vous l'avez sur vous. » La jeune femme était décidée à donner à sa belle-mère ce qu'on trouverait de plus beau. Cette même nuit, lorsque la maisonnée fut tranquille, elle creusa la terre, trouva l'argent qu'elle y avait caché, et prit ce qui lui était nécessaire afin de conduire sa vieille mère à la mort dans le contentement.

Et cependant il semblait que cette chose à laquelle elle se refusait de songer, cette heure dont elle enfouissait le souvenir au plus profond de son être tandis qu'elle s'affairait avec joie, cette pensée latente la rendait bonne et désireuse de se dépenser pour les siens. Lorsqu'elle agissait scrupuleusement, elle se sentait allégée de son secret. Pendant deux nuits elle ne dormit pas un seul instant ; elle se prodiguait, sans se préoccuper de sa fatigue, sans gronder ses enfants, se montrant très douce avec la mourante. Lorsque le cousin apporta l'étoffe, elle l'approcha bien près des yeux qui allaient se fermer et dit à haute voix, car la vieille femme devenait chaque heure plus sourde et plus aveugle : « Tenez bon, ma mère, jusqu'à ce que j'aie terminé. »

Et la pauvre créature répondit avec courage : « Oui... je ne mourrai pas » ; cependant le souffle lui manquait pour parler et même pour respirer, car chaque exhalaison devenait douloureuse et sifflante.

La mère se dépêchait, son aiguille allait aussi vite que possible ; elle fit le vêtement de belle étoffe brillante, rouge comme une veste de mariée, tandis que la vieille femme la regardait, ses yeux obscurcis fixés sur le tissu qui luisait sur les genoux de la mère. L'aïeule ne pouvait plus avaler ni nourriture ni boisson, pas même le tiède lait humain, qu'une brave voisine tira de son sein à l'aide d'un bol, car on a vu parfois ce bon lait sauver un vieillard. Elle attendait, cramponnée à ce léger souffle de vie qui la maintenait.

La mère cousait sans relâche. Les voisins apportaient les repas, pour lui éviter de s'interrompre. Elle termina sa tâche en un jour et une partie de la nuit suivante. Le cousin et sa femme, ainsi qu'une ou deux voisines, restèrent à la regarder ; en réalité tout le hameau se tint éveillé, se demandant qui des deux gagnerait la course : la mère ou la mort.

Enfin, tout s'acheva ; la robe d'ensevelissement écarlate était prête et le cousin souleva le vieux corps, pendant que la mère et la cousine revêtaient de beaux habits neufs les membres flétris, bruns et secs comme des bouts de bois sur un arbre mort. La vieille créature ne pouvait plus parler, mais elle comprit : après un ou deux derniers râles, elle ouvrit les yeux tout grands, sourit à son troisième linceul, la réalisation de son unique désir, et mourut triomphante.

Après le jour de l'enterrement, la mère continua à s'acharner au travail, bien que toute hâte fût devenue inutile. Elle s'obstina plus que jamais au labeur des champs et, lorsque son fils voulait se mettre à une tâche qu'elle avait commencée, elle lui criait d'un ton rude :

« Laisse-moi faire ! La vielle grand-mère me manque trop, — bien plus que je ne l'aurais cru, j'ai des remords de ne pas être rentrée ce jour-là au moment de l'orage, pour voir si elle avait chaud quand le soleil s'est caché ! »

Elle laissa chacun croire au hameau qu'elle pleurait sa belle-mère et se faisait des reproches. Beaucoup l'admiraient d'éprouver autant de chagrin et disaient : « Quelle bonne belle-fille de regretter ainsi sa vieille mère ! » Et on la consolait en répétant : « Ne vous tourmentez pas, ne vous lamentez pas, maîtresse. Elle était très âgée, elle avait fini sa vie, et à quoi bon prendre tellement à cœur cet instant qui a été marqué pour chacun de nous avant même que nous sachions marcher ou parler ? Votre mari est encore vivant, vous avez deux fils. Prenez courage, maîtresse ! »

Mais c'était un soulagement pour la mère que de trouver ce prétexte afin de dissimuler ses appréhensions et sa tristesse. Car elle avait des raisons de s'inquiéter et, aux champs, elle ne manquait pas de loisirs pendant lesquels elle fouillait au fond de son cœur et considérait cette crainte qu'elle dissimulait en elle-même depuis cette heure de montée d'orage. Elle s'était réjouie, les jours passés, d'être si occupée ; elle avait même été contente de la mort de la vieille femme, car elle se disait tristement : « Il vaut mieux que la pauvre soit partie, que si elle savait ce que je redoute ! »

Un mois passa et elle eut peur. Deux mois, puis trois, et les moissons survinrent. On battit le grain, et ce qu'elle craignait sourdement pendant le travail journalier devint une certitude. Il ne lui resta plus aucun doute. Le pire l'atteignait, elle, la mère d'enfants mâles, maîtresse de maison honorée de tout le hameau, et elle maudit ce jour d'orage et ses folles ardeurs. Elle aurait bien dû se douter qu'avec son corps tout brûlant qui s'ouvrait plein d'attente, et son esprit rongé par un désir unique, ce moment devait porter ses fruits. Et l'homme lui aussi était fort et sain, sa puissance à son comble. Comment avait-elle jamais pu rêver qu'il en serait autrement ?

Etrange maternité, tenue secrète et surveillée

avec une si grande consternation pendant la solitude de la nuit, tandis que les enfants dormaient. La mère n'osait pas laisser paraître ses plus gros malaises. Chose bizarre, lorsqu'elle portait ses enfants légitimes elle n'avait éprouvé aucun trouble, mais à présent, dès qu'elle avalait la moindre bouchée, son cœur se soulevait. Il semblait que ce germe en elle poussait dru avec la vigueur d'une mauvaise herbe, et traitait son corps sans merci. Et rien de tout cela ne devait être soupçonné.

Une nuit après l'autre, trop mal à l'aise pour s'étendre, la mère gémissait, assise dans son lit : « Je voudrais me sentir seule de nouveau, se disait-elle, ne plus avoir cette chose en moi. Si seulement j'étais comme avant, je serais heureuse ! Et souvent la folle idée la prenait de se pendre au montant de son lit. Mais c'était impossible. Elle regardait ses enfants endormis, ses bons enfants bien à elle, et elle ne pouvait envisager la pensée que les voisines viendraient examiner son corps, et découvrir pourquoi elle s'était tuée. Il ne lui restait donc qu'à vivre. Et, malgré sa souffrance et la haine que lui inspirait parfois l'agent, elle le désirait encore. Elle n'était pas guérie de l'attirance qu'exerçait sur elle ce citadin. On eût dit qu'il la maintenait fermement par cette emprise secrète qui se fortifiait en elle. Elle se repentait de lui avoir cédé et cependant, malgré sa honte sincère et ses regrets de ne pas lui avoir résisté, elle soupirait après lui souvent, jour et nuit. Cependant elle n'osait pas se mettre à sa recherche, de crainte d'être vue, et elle ne pouvait qu'attendre son retour, car il lui semblait que cette poursuite ferait d'elle une femme perdue, prête à se donner au premier venu.

L'homme de son côté, chose curieuse, avait assez d'elle. Il ne revint pas de tout l'été et ne parut qu'après la récolte, appelé par ses obligations. Il était aussi dur et exigeant que par le passé et il réclama sa pleine mesure de grain. Le jeune garçon s'écria surpris : « En quoi l'avons-nous vexé, mère, lui qui était si gentil l'été dernier ?

— Comment le saurai-je ? » répondit la mère d'un ton maussade, mais elle comprit parfaitement ce qu'il en était lorsque l'agent refusa de la regarder.

Il ne lui lança pas le plus petit coup d'œil, même le jour de la fête des moissons. Elle s'était cependant lavée de frais ; elle avait peigné et huilé ses cheveux et revêtu une veste et des pantalons propres, ainsi que son unique paire de chaussettes et les souliers qu'elle s'était faits pour l'enterrement de sa belle-mère. Ainsi habillée, avec un misérable espoir au cœur et une gêne qui lui faisait monter le rouge aux joues, le regard rendu fiévreux par ses terribles craintes secrètes, elle se hâta vers le lieu de la fête et s'y affaira devant l'agent. Elle parla aux uns et aux autres, s'efforçant de faire du bruit et de paraître gaie. Les femmes s'étonnaient de ses joues enflammées et de ses regards brillants, car elles étaient habituées à lui voir un maintien tranquille en présence des hommes.

Malgré cela, il ne lui prêta aucune attention. Il

but du vin de riz nouveau, et en le dégustant il cria d'une voix forte aux fermiers : « J'en prendrai un cruchon ou deux, si vous pouvez m'en céder, scellez-le bien avec de l'argile pour lui conserver sa douceur. » Mais il ne semblait pas voir la mère et, quand elle passait devant lui, il l'effleurait du regard comme s'il s'agissait d'une paysanne quelconque, inconnue de lui.

La jeune femme avait beau savoir qu'elle se sentirait soulagée s'il ne voulait plus d'elle, elle ne pouvait en supporter l'idée. Elle revint à la maison au milieu du festin de l'après-midi et elle tira de leur cachette, d'une main tremblante, les bijoux qu'il lui avait donnés. Elle enfila les boucles d'oreilles à la place des petits fils métalliques qu'elle avait conservés pendant des années pour empêcher les trous de se refermer, et elle enfonça les bagues sur ses doigts rudes et forts, puis, cherchant une fois de plus à attirer l'attention de l'agent, elle se tint debout près de la table du festin, mêlée aux femmes qui servaient les hommes. La commère du village était assise parmi elles, joyeuse ce jour-là, et montrant le plus possible ses pieds, chaussés de souliers neufs. En voyant la mère, elle s'écria :

« Eh bien, maîtresse, vous voilà ; vous avez fini par acheter vos bijoux malgré tout et par les porter, bien que votre mari soit encore absent ! »

Elle disait cela si fort que les femmes se retournèrent et se mirent à rire. Les hommes en firent autant, amusés par la gaieté des femmes. Et l'agent, lorsqu'il entendit les rires et les propos moqueurs lancés contre la mère, leva une tête hautaine et dédaigneuse de dessus son bol et la dévisagea, la bouche pleine, en continuant à mastiquer, puis il demanda avec insouciance, mais assez haut pour être entendu d'elle : « Qui donc est cette femme ? » Il regarda sa figure écarlate puis détourna les yeux comme s'il ne l'avait jamais vue et se mit à manger. La femme, sentant son visage pâlir trop vite, se glissa au-dehors et se sauva en courant, tandis que les autres s'amusaient de cette fuite honteuse devant leurs rires.

A partir de ce moment, la mère se tint à l'écart ; elle resta seule avec ses enfants et dissimula la croissance de cet être sauvage qui poussait en elle. Jour et nuit elle se demandait ce qu'elle ferait. En apparence elle travaillait comme de coutume, serrait le grain et mettait tout en ordre pour l'hiver. A la fête de la mi-automne, lorsque le hameau entier festoya et que chaque demeure eut sa joie particulière, la petite rue sa gaieté et ses réjouissances, et que le grain et la nourriture abondèrent partout, la mère, malgré sa tristesse, fit quelques gâteaux en forme de lune à ses enfants. Ils les mangèrent sous les saules de l'aire et, lorsque la pleine lune se leva, ils la virent briller, presque aussi claire que le soleil.

Mais ils mangeaient gravement, ils paraissaient avoir conscience du manque de bonheur chez eux, de l'humeur sombre de leur mère, et à la fin l'aîné prononça d'un ton solennel :

« Parfois je me figure que mon père est mort, puisqu'il ne revient pas. »

La mère eut un sursaut et répondit vivement :

« Mauvais fils, de parler de la mort de son père ! »

Mais une idée lui était venue.

Le jeune garçon dit encore : « J'ai souvent envie d'aller à sa recherche. Je pourrais partir dès que le blé sera semé cette année, si tu veux me donner un peu d'argent. J'attacherai mes vêtements d'hiver sur mon dos au cas où je serais retardé dans mes recherches. »

Alors la mère eut peur et elle s'écria pour détourner son attention : « Mange un autre petit gâteau, mon fils, et attends encore une année ou plus. Que deviendrais-je sans toi, si tu disparaissais à ton tour ? Attends que le plus jeune puisse te remplacer. »

Mais le gamin cria énergiquement, capricieux comme chaque fois qu'il avait envie d'une chose :

« Si mon frère part, j'irai avec lui », et ses petites lèvres rouges faisaient la moue tandis qu'il regardait sa mère d'un air furieux. Elle fit des reproches à l'aîné : « Tu vois ce qui arrive quand tu parles ainsi et que tu excites son imagination. » Et elle refusa d'en entendre davantage.

La jeune femme pensa de nouveau à l'idée qu'elle avait eue. Voilà cinq ans qu'elle se trouvait seule. Si son mari vivait, il serait déjà revenu. Cinq ans — il était certainement mort. Sans doute, depuis longtemps déjà, elle se trouvait veuve sans le savoir. L'agent du propriétaire n'était pas remarié et elle était veuve ! Elle se souvenait de lui avoir entendu raconter qu'il avait perdu sa femme l'anné précédente. A ce moment-là, ne se croyant pas libre, elle n'avait prêté aucune attention à ces paroles. Mais, à présent, il fallait qu'elle fût veuve. Elle contempla très avant dans la nuit la grande lune, là-haut dans le ciel ; les enfants sommeillaient, le hameau dormait, à part un ou deux chiens qui aboyaient devant l'astre énorme. Plus la mère réfléchissait, plus elle se trouvait des raisons d'être veuve. Et alors s'il disait qu'il voulait l'épouser, serait-ce assez tôt ?

Les choses se précipitèrent, elle fut forcée d'agir. Le fils aîné n'oubliait pas ses projets et travaillait fébrilement à labourer les champs et à semer son blé. Aussitôt après, il voulut se mettre à la recherche de son père. Il était presque de sa taille ; mince, souple et ferme comme une tige de bambou. Il se sentait trop âgé pour admettre les refus et il avait une nature calme et obstinée ; jamais il ne revenait sur une décision prise et il dit à sa mère : « Laisse-moi partir à présent, retrouver mon père. Donne-moi le nom de la ville où il habite, la région et l'adresse de la maison où il travaille. »

En désespoir de cause, sa mère lui répondit pour le détourner de son idée : « J'ai brûlé ses lettres et il faudra attendre la prochaine, au nouvel an.

— Mais tu avais promis de te souvenir ! s'écria-t-il.

— J'y comptais bien, répondit-elle vivement, mais j'ai eu tellement de choses en tête, que j'ai oublié ; et avec cela la mort de ta pauvre grand-mère ! Quand elle était mourante, j'aurais bien envoyé un mot à ton père si j'avais pu me souvenir de son adresse. »

Et lorsque le jeune garçon, peu convaincu, la regarda d'un air de reproche, elle s'écria avec colère : « Comment aurais-je jamais pensé que tu voudrais t'en aller et me laisser tout sur les bras, au moment même où tu es de taille à m'être utile ? Je n'avais pas songé que tu abandonnerais ta mère, et je suis sûre qu'au nouvel an je recevrai une lettre comme les autres fois. »

Le jeune homme se vit donc obligé de renoncer à son projet pour l'instant, et il attendit, maussade, désireux de revoir son père. Il se souvenait à peine de lui, mais il avait conservé la vague image d'un homme agréable et joyeux. Il avait d'autant plus envie de le retrouver en ce moment-ci qu'il se sentait peu d'affection pour sa mère, car elle paraissait constamment irritée contre lui et ne comprenait rien à ce qu'on lui disait. Et il soupirait après son père.

La mère se trouvait très perplexe, ne sachant qu'une chose, c'est qu'il fallait agir promptement, car, même si une lettre n'arrivait pas au jour de l'an, son fils la tourmenterait et l'obligerait tôt ou tard à lui avouer toute la vérité. Comment arriverait-elle à lui démontrer que le léger mensonge du début, inventé pour sauvegarder sa fierté de femme, était devenu une chose aussi importante, enracinée depuis des années, et difficile à rectifier ?

Elle se consola de nouveau en se disant que

l'homme devait être mort. Jamais on n'avait entendu parler d'un mari qui ne revenait pas de temps à autre au pays, revoir ses fils et sa vieille demeure, s'il était vivant. Certainement il était mort. Elle se le répéta si bien qu'elle finit par y croire ; il ne suffisait plus qu'à l'annoncer pour convaincre le jeune garçon et les habitants du hameau.

Une fois de plus elle se rendit à la ville, selon son habitude, mais elle choisit un scribe qui lui était inconnu et le pria en soupirant d'écrire à la femme de son frère : « Dites-lui que son mari est mort. Et voici comment. Il a été pris dans une maison en flammes, car, un esclave ayant renversé une lampe, un incendie s'est déclaré, et il a brûlé dans son sommeil ; ses cendres sont perdues, et il n'y a pas de restes à ramener chez lui. »

Elle fit inscrire son propre nom à la place de celui de la belle-sœur, inventa un nom fictif pour désigner l'étranger qui donnait la nouvelle, et le scribe, moyennant une augmentation de salaire, consentit à changer de lieu d'origine. Cela lui parut un peu louche, mais il n'en dit rien ; ce n'était pas son affaire et son silence lui était payé.

La femme se sentait sauvée. Mais elle était impatiente de savoir ce salut assuré. Il lui fallait prévenir l'agent. Elle erra ici et là, et demanda où le propriétaire habitait autrefois ; car l'agent devait être connu dans ces parages. Elle y courut sans autre souci que celui de sa délivrance. Il semblait que les dieux étaient avec elle et la protégeaient ce jour-là, car elle le rencontra à la barrière de la maison, au moment où il se préparait à y entrer. Elle poussa un cri et lui posa la main sur le bras ; il abaissa son regard sur elle et sur les doigts appliqués contre sa manche et demanda : « Qu'y a-t-il, femme ? »

Et elle murmura : « Monsieur, je suis veuve. Je ne l'ai appris qu'aujourd'hui ! »

Il repoussa sa main et dit d'une voix haute : « Qu'est-ce que cela peut me faire ? » Et, lorsqu'elle le regarda d'un air douloureux, il ajouta rudement : « Je vous ai payée, je vous ai bien payée ! » Tout à coup une de ses connaissances qui passait dans la rue l'interpella en riant : « Eh bien, mon bon ami ? Une jolie maîtresse femme, fort impudique, pour s'attaquer ainsi à un homme ! »

Mais l'agent, très froid, répondit en soulevant à peine ses lourdes paupières : « Oui, si vous les aimez noires et vulgaires, mais pas moi ! » Et il continua son chemin.

Elle demeura sur place, étonnée, honteuse, sans y rien comprendre. Mais comment l'avait-il payée ? Et elle se souvint tout à coup des bijoux qu'il lui avait offerts. C'était là son payement ! Oui, ces colifichets sans valeur le libéraient vis-à-vis d'elle.

Que devait-elle faire à présent qu'elle savait tout ? Elle se dirigea vers la route du retour, d'un pas ferme, le cœur glacé ; elle se répétait sans cesse : « Ce n'est pas le moment de pleurer — l'heure n'est pas encore venue. » Et elle retint ses larmes. Elles eurent beau s'amasser en elle et la faire trembler, elle ne leur permit pas de couler. Elle se contint, s'endurcit dans le silence jusqu'à l'arrivée de la nouvelle ; ou ou deux jours plus tard la lettre qu'elle avait écrite lui parvint, et elle l'emporta au scribe du hameau. Elle lui dit sans broncher : « Je crains qu'elle n'annonce rien de bon, mon oncle, car ce n'est pas la date habituelle. »

Le vieillard prit le papier, le lut, et s'écria tout saisi : « Ce sont de mauvaises nouvelles, maîtresse, préparez-vous !

— Est-il malade ? » demanda-t-elle, du même ton ferme.

Et le vieillard posa la lettre, retira ses lunettes et dit solennellement sans la quitter des yeux : « Mort ! »

Alors la mère se couvrit la tête de son tablier et pleura. Elle ne craignait plus de se laisser aller, et elle pleura sans arrêt, comme s'il était réellement mort. Elle pleura sur ses années de solitude, sa vie si tourmentée, délaissée, sur sa triste destinée, le départ de son mari, elle pleura aussi parce qu'elle n'osait pas avouer l'enfant qu'elle portait en elle et enfin parce qu'elle était une femme méprisée. Toutes les larmes qu'elle avait retenues de peur d'être entendue par un de ses enfants ou par un voisin, elle les versait à présent, et personne n'avait besoin de dénombrer les douleurs qui les faisaient couler.

Dès qu'elles surent la nouvelle, les femmes du hameau accoururent et vinrent la consoler. Elles lui recommandèrent de ne pas se rendre malade de chagrin ; il lui restait des enfants, deux bons fils, qu'elles allèrent chercher et lui amenèrent pour la réconforter ; les deux garçons se tinrent devant elle, l'aîné silencieux et pâle, comme s'il était subitement malade, et le plus jeune hurlant parce que sa mère pleurait.

Brusquement, au milieu de la confusion générale, de bruyantes lamentations s'élevèrent et des sanglots plus violents encore que ceux de la jeune femme. La commère du village, impressionnée par la tristesse environnante, s'écriait d'une voix entrecoupée, de grosses larmes huileuses lui coulant le long des joues : « Regardez-moi donc, pauvre âme que je suis ! Ma situation est pire — je n'ai pas le moindre fils — je suis plus à plaindre que vous, maîtresse, plus malheureuse qu'aucune autre ! » Ses anciens chagrins se ravivaient si bien que les femmes étonnées se retournèrent pour la consoler, et la mère profita du tohu-bohu pour rentrer chez elle, suivie de ses fils. Elle continuait à pleurer tout bas ; incapable de s'arrêter, elle reprit de plus belle, assise sur son seuil de porte ; l'aîné larmoyait sans mot dire et s'essuyait les yeux du revers de la main ; son frère l'imitait, sans comprendre la signification de cette mort d'un père qu'il n'avait jamais connu, et la fillette pressait ses doigts sur ses paupières et gémissait sourdement : « Il faut bien que je pleure, puisque mon père est mort, mais les larmes me brûlent si fort ; pourtant je dois pleurer mon père. »

Mais la mère ne pouvait persister dans ses larmes, ce ne serait possible qu'une fois son but atteint. Elle s'arrêta donc et, tandis qu'elle réfléchissait à ce qui lui restait à faire, son silence réconforta tant soit peu les enfants.

Elle prétendait qu'un seul chemin lui était possible, celui de la mort, mais il existait une autre alternative : extirper de son corps cette vie si vorace qu'elle y sentait grandir. Seulement elle ne pouvait s'en tirer seule, il lui fallait de l'aide, et l'unique femme qu'elle oserait appeler à son secours était celle de son cousin. La mère eût préféré agir sans témoins et ne dévoiler son secret à personne. Mais sa cousine était une excellente créature, commune, bien au fait des choses de la terre, des manières d'être des hommes, et comprenant les réclamations du corps charnel d'une femme féconde qui a soif d'enfanter. Malgré tout, l'aveu serait pénible.

L'occasion de parler se présenta assez facilement. Les deux femmes se trouvaient seules dans un sentier à s'entretenir d'un incident quelconque. La cousine s'était écriée de sa bonne grosse voix : « Mangez donc et cessez de vous chagriner, car vous êtes aussi jaune que si vous aviez des vers dans le corps ! »

Et la mère réfléchit et répondit tout bas d'un ton amer : « J'ai bien un ver en moi qui me ronge la vie ! »

Et, devant le regard étonné de la cousine, la mère appuya la main sur son ventre et dit en hésitant : « Quelque chose pousse en moi, mais j'ignore ce que c'est, peut-être un mauvais vent ! »

La cousine demanda : « Laissez-moi voir ? »

Et, la mère ouvrit sa veste, dévoilant son corps. La cousine le trouva gros, toucha et dit, très surprise : « Mais cela ressemble à un enfant ; si vous aviez un mari, je croirais que vous êtes enceinte ! »

Alors la mère se tut, misérablement. Elle se tenait la tête baissée, sans oser relever les yeux, et la cousine vit le ventre de la mère remuer légèrement. Alors elle s'écria, terrifiée : « Je jurerais que c'est un enfant ! Mais comment est-ce possible, à moins qu'il n'ait été conçu en esprit, puisque votre homme est absent depuis tant d'années ? J'ai entendu dire qu'il est arrivé parfois à de saintes femmes, et surtout dans l'ancien temps, de concevoir des dieux. Cependant vous n'êtes pas une véritable sainte, ma cousine, une fort bonne femme il est vrai, très respectée, mais cependant colère et souvent vive, et votre nature est très ardente. Auriez-vous senti la présence d'un dieu près de vous ? »

La mère eût bien désiré faire un autre mensonge. Elle avait envie de raconter qu'un dieu était venu la visiter, tandis qu'elle s'abritait de l'orage dans un sanctuaire au bord du chemin, mais, lorsqu'elle ouvrit la bouche, les mots refusèrent de sortir. Elle redoutait, d'une part, d'inventer un conte aussi noir sur le compte de l'honnête et brave dieu dont elle avait voilé la face, et puis elle se sentait trop lasse pour mentir encore. Elle regarda sa cousine d'un air pitoyable et le rouge de la honte monta à ses joues pâles, les couvrant de taches. Elle eût payé de la moitié de sa vie la possibilité de tromper réellement sa cousine, mais c'était impossible. Et la bonne femme qui la considérait comprit de quoi il retournait et se borna à dire sans poser aucune question : « Couvrez-vous, ma sœur, de crainte de prendre froid. »

Toutes les deux continuèrent leur chemin et la mère finit par s'écrier avec une amère violence : « Qu'importe celui qui l'a conçu, personne ne saura son nom. Mais si vous me venez en aide, ma cousine et ma sœur, je prendrai soin de vous tant que je vivrai ! »

Et la cousine répondit très bas : « Je n'ai pas vécu tant d'années sans avoir jamais vu une femme se débarrasser de ce qui la gênait ! »

Pour la première fois, la mère entrevit un espoir et elle murmura : « Mais comment... comment cela ? »

Et la cousine expliqua : « Il faut acheter des simples si l'on peut se les payer, des herbes très fortes, qui tuent quelquefois la mère et l'enfant ; en tout cas, c'est plus douloureux qu'un accouchement, mais, si la dose est suffisante, cela réussit. »

La mère répondit : « Même si cela doit me tuer, moi aussi, je veux exterminer cette chose, afin que mes fils et les autres gens l'ignorent. »

La femme du cousin s'arrêta et regarda la mère bien en face en lui disant : « Oui, mais à présent que votre homme est mort, est-ce que cela ne recommencera pas ? »

La mère jura et cria dans son angoisse : « Oh non ! Je me jetterais dans la mare pour me refroidir à tout jamais plutôt que de laisser cette ardeur monter en moi comme cet été. »

Dans la soirée elle tira du sol une bonne moitié de l'argent qu'elle gardait en réserve, et, dès qu'elle en eut l'occasion elle remit la somme à sa cousine qui acheta les simples.

L'achat terminé et les herbes infusées, la femme du cousin vint une nuit dire à la mère qui l'attendait : « Où voulez-vous boire cette tisane ? C'est impossible à la maison, car il y aura beaucoup de sang ! »

La mère se souvint du sanctuaire au bord du chemin, isolé le jour, et complètement désert la nuit. Les deux femmes s'y dirigèrent ; la mère but la décoction et s'étendit par terre pour attendre.

Bientôt, dans l'obscurité profonde, elle fut saisie de douleurs d'une violence insoupçonnée jusqu'ici, et elle se résigna à mourir. Le supplice était tel qu'elle perdit conscience de tout, en dehors de la souffrance présente. Cependant elle se souvint qu'elle ne devait pas crier, pour se soulager. Il ne fallait pas non plus risquer d'allumer un flambeau, ni même le moindre lumignon au cas où, par extraordinaire, quelqu'un viendrait à passer et apercevrait de loin une lueur inusitée dans le sanctuaire.

La mère devait endurer tant bien que mal son supplice. La sueur coulait sur son corps comme de la pluie et elle ne se rendait plus compte que de ses atroces douleurs, comme si un animal s'agrippait à elle et lui arrachait les parties vitales de son être ; enfin, à un moment donné, une déchirure se produisit réellement, et elle poussa un cri.

La cousine s'avança, prit ce qu'elle devait enlever et le mit dans une natte qu'elle avait apportée ; elle le palpa avant de l'envelopper et murmura d'une voix triste : « Ç'aurait été un garçon. Vous êtes une mère privilégiée de porter en vous tant de fils ! »

La mère gémissait : « Il n'y en aura plus jamais à présent ! »

Puis elle s'étendit et se reposa un peu sur le sol ; ensuite, dès que cela fut possible, elle revint chez elle soutenue par le bras secourable de sa cousine et retenant ses plaintes. Lorsqu'elles passèrent devant la mare, la cousine y jeta le rouleau de natte.

Pendant bien des jours la mère demeura sur son lit, malade et faible ; la bonne cousine lui aida de son mieux, mais tout l'hiver de cette année-là elle resta dolente au point que soulever un poids et porter une charge au marché lui était un supplice. Il fallait cependant s'y résigner de temps à autre. A la longue elle arriva à se sentir un peu mieux par les beaux jours, et elle s'asseyait un moment au soleil. Au printemps, son état s'améliora, mais elle ne se sentait plus la même, et souvent, quand la cousine lui apportait un plat savoureux pour la tenter, la mère disait en pressant sa main sur sa poitrine : « Il me semble que je ne peux pas manger. J'ai quelque chose de lourd ici. Mon cœur me pèse entre les seins, d'un tel poids, que cela m'empêche d'avaler. Il est trop chargé de douleurs et je n'arrive pas à les balayer avec mes larmes. Si je pleurais une bonne fois tout mon saoul, je guérirais. »

Mais, malgré son désir, ses yeux demeuraient secs. De tout le printemps elle ne put ni pleurer ni travailler comme de coutume ; son fils aîné se débattait de son mieux pour faire le nécessaire, le cousin aidait au-delà de ses forces, et la mère restait inactive et sans larmes.

Cela continua ainsi jusqu'à un certain jour lorsque l'avoine se mit en épis. La jeune femme se tenait assise au soleil, languissante, les cheveux mal peignés, car elle s'était trouvée trop lasse pour se coiffer ce matin-là. Tout à coup, un pas retentit et, lorsqu'elle leva les yeux, elle vit l'agent. Son fils aîné l'aperçut aussi et s'avança en disant :

« Monsieur, mon père est mort et je le remplace, car ma mère est malade depuis bien des mois. Si vous venez examiner et estimer la récolte, je vous accompagnerai, car elle en est incapable. »

Alors, l'homme, le citadin aux cheveux soignés, à la barbe rasée, observa la mère bien en face, d'un œil détaché, et il comprit parfaitement ce qui s'était passé. Elle se sentit devinée et baissa silencieusement la tête. Mais l'agent dit avec insouciance :

« Viens donc en ce cas, mon garçon. »

Et ils s'éloignèrent tous les deux, la laissant seule.

Elle vit qu'il ne lui restait rien à attendre de cet homme-là. De son côté, elle avait cessé de le désirer, son corps se trouvait trop affaibli depuis longtemps. Mais ce dernier coup d'œil lui donna le choc nécessaire. Elle sentit ce poids, qu'elle appelait son cœur, fondre en quelque sorte et les larmes lui monter aux yeux. Elle se leva et suivit un sentier non fréquenté, à travers champs. Elle se dirigea vers une tombe grossière et abandonnée, qu'elle connaissait — la tombe d'un inconnu, si ancienne que personne ne se souvenait à qui elle avait appartenu. La mère s'assit sur le tertre herbeux et attendit. Et, enfin, elle pleura !

Ses larmes commencèrent par sourdre amères et pures, puis elles coulèrent plus aisément ; alors la mère appuya sa tête sur la tombe et pleura de la manière dont pleurent les femmes quand leur cœur est trop plein du chagrin de leur vie, que la souffrance en ruisselle et déborde si bien qu'elles ne songent qu'à se soulager comme elles peuvent de leur peine, car elles sont écrasées par l'existence qui leur est faite. Et le bruit de ses sanglots, porté par les brises du printemps, atteignit le petit village. En l'entendant, les mères dans leurs maisons, et les épouses se regardèrent et se dirent tout bas : « Laissez-la pleurer, pauvre âme, et se délivrer de son mal, car elle ne s'est pas déchargée depuis ces mois de veuvage. Il faut dire à ses enfants de ne pas l'en empêcher. »

Et ils la laissèrent pleurer.

Mais, après un long moment, la mère entendit un léger bruissement près d'elle et leva les yeux dans le crépuscule, car elle avait pleuré jusqu'au soleil couché. Sa fille venait de son côté, cherchant à tâtons son chemin sur le sol rude, et elle lui cria de loin : « Oh, mère ! la cousine a dit de te laisser te soulager de ta peine, mais n'as-tu pas pleuré assez pour cela ? »

Alors la mère s'éveilla et sortit d'elle-même. Elle regarda l'enfant, se redressa avec un soupir en repoussant ses cheveux à moitié défaits, essuya ses paupières gonflées, puis elle se leva et la fillette avança la main, cherchant celle de sa mère. La petite fermait les yeux pour les protéger de la lueur du soir, rose au couchant, et elle dit d'un ton plaintif : « Je voudrais n'avoir jamais à pleurer, les larmes brûlent si fort. »

Ces quelques mots ramenèrent brusquement la mère à elle et la purifièrent. Ces paroles prononcées à la fin de la journée, la petite main en quête de la sienne l'arrachèrent au désespoir dans lequel elle vivait depuis des mois entiers. Elle se sentit mère de nouveau et regarda sa fille. En sortant enfin de sa torpeur, elle s'écria : « Tes yeux vont-ils plus mal, mon enfant ? »

Et la fillette répondit : « Je crois que c'est toujours la même chose, seulement la lumière me brûle davantage et je ne vois pas vos visages nettement, comme autrefois. Depuis que mon frère a grandi, je le confonds avec toi et ne le reconnais que par le son de sa voix. »

Alors la mère, reconduisant sa fille avec tendresse, gémissait en elle-même : « Où étais-je, tous ces jours ? », et elle dit :

« Ma fille, j'irai demain dès l'aube t'acheter le

baume dont j'ai si souvent parlé, pour te guérir. »

Ce soir-là, ils eurent tous l'impression de retrouver leur mère comme si elle revenait d'un endroit lointain. Elle redevenait elle-même. Elle posa les bols pleins de nourriture sur la table et s'occupa d'eux ; sa figure pâle et usée paraissait calme et empreinte d'une sorte de paix maladive. Il semblait qu'elle n'avait pas vu ses enfants depuis un an ou deux et les examinait à tour de rôle. Elle regarda le petit garçon et s'écria : « Mon fils, demain je laverai ta veste. Je ne m'étais pas aperçue qu'elle fût aussi noire ni aussi déchirée. Tu es trop joli garçon pour te promener avec ce vêtement sale, toi qui es mon fils. » Et à l'aîné elle demanda : « Tu m'as dit l'autre jour que tu t'étais coupé le doigt et que c'était envenimé. » Et après avoir lavé sa main et mis de l'huile sur la plaie, elle ajouta : « Comment as-tu fait cela, mon enfant, fais-le-moi voir. »

Il ouvrit de grands yeux, surpris, et lui expliqua : « Je t'ai déjà raconté, mère, que je me suis coupé en aiguisant la faucille sur la pierre, je la préparais pour faucher bientôt l'avoine. »

Et elle se hâta de répondre : « Oui, je m'en souviens à présent, tu me l'avais dit. »

Sans se l'expliquer, les enfants se sentirent soudain comme environnés de chaleur, et cette chaleur semblait émaner de leur mère. Ils étaient remplis de joie et se mirent à bavarder et à lui raconter une chose après l'autre. Le plus jeune lui dit :

« J'ai deux sous que j'ai gagnés aujourd'hui en

jouant à pile ou face dans la rue. J'ai tellement de chance, je gagne toujours ! »

La mère le couvait des yeux ; elle le trouvait joli et vigoureux et s'étonnait de ne pas s'en être aperçue plus tôt. Dans un subit accès de chaude tendresse elle s'écria : « Bon petit qui garde ses sous au lieu de les dépenser en sucreries et de les gaspiller ! »

Ces paroles rendirent l'enfant pensif et il répondit d'un air troublé : « Mais c'est seulement pour aujourd'hui, parce que je compte en acheter demain. A quoi bon économiser puisque je peux en gagner autant presque chaque jour. » Il s'attendait à une réprimande, mais, très douce elle lui dit : « Achète les bonbons si tu en as envie, puisque l'argent est à toi. »

L'aîné, silencieux en général, vint ajouter son mot : « Ma mère, j'ai une drôle de chose à t'annoncer. Aujourd'hui, pendant que nous parcourions les terres, l'agent et moi, il m'a dit qu'il venait pour la dernière fois au hameau. Il part chercher fortune ailleurs ; il prétend que ça le fatigue de marcher dans les chemins de campagne et qu'il est las des fermiers vulgaires et de leurs femmes. Le travail se répète chaque saison, c'est trop monotone et il va dans une cité lointaine. »

La mère entendit ces paroles et les médita. Assise, elle restait immobile et regardait le jeune homme à travers la faible lueur de la chandelle qu'elle avait allumée ce soir-là et posée sur la table. Lorsqu'il se tut, elle attendit, pour permettre aux mots de pénétrer dans son cœur, de même que la pluie s'enfonce dans un sol aride et desséché, puis elle demanda d'une voix chaude, étouffée : « A-t-il vraiment dit cela, mon fils ? »

Ensuite elle ajouta vivement, comme si cette question ne l'intéressait guère : « A présent, il faut aller dormir et nous reposer, car dès l'aube je vais à la ville, chercher un baume afin de guérir les yeux de ta sœur. »

La voix de la jeune femme était de nouveau sonore et paisible. Le chien s'approcha d'elle et mendia ; elle le nourrit abondamment, sans compter. Joyeux et surpris, il avala goulûment et soupira de satisfaction quand il fut rassasié.

Cette nuit-là, ils dormirent tous. Un profond sommeil reposant les enveloppa, mère et enfants.

## CHAPITRE XII

Le lendemain se leva gris et calme avec une menace de pluie d'été. Le ciel bas, chargé d'eau, pesait sur la vallée et masquait les montagnes. La mère se leva de bonne heure cependant, décidée à conduire la fillette en ville. Après avoir attendu des mois et même des années, elle ne pouvait pas patienter un jour de plus pour s'efforcer de la soulager ; dans cette nouvelle maternité purifiée par les larmes, elle ne serait jamais assez tendre, ni trop prompte, pour satisfaire son cœur.

Quant à la jeune fille, elle tremblait d'excitation en coiffant ses longs cheveux qu'elle tressa de frais avec une cordelière rose, et elle remit une veste propre, bleue, fleurie de blanc, car de sa vie elle n'était sortie de ce petit hameau et elle disait d'un air pensif en se préparant : « Je voudrais y voir clair aujourd'hui, afin d'admirer les curiosités de la ville. »

Son frère, le plus jeune, lui répondit avec à-propos : « Oui, mais si tes yeux étaient bons, tu n'aurais aucune raison d'y aller. »

Cette riposte tombait si juste que la fillette sourit, comme elle le faisait à chacune des boutades du gamin, mais elle ne répondit pas, n'ayant aucune vivacité d'esprit ; elle était lente et douce dans tout ce qu'elle faisait. Après avoir réfléchi un instant, elle dit : « Je crois que je préférerais ne jamais aller en ville, et y voir clair. »

Mais cette réponse était si tardive que le jeune garçon avait déjà oublié à quoi elle se rapportait. Il était impatient de caractère, prompt à passer d'un jeu à un autre, ou à changer de travail dans les petites tâches qu'il entreprenait. Des trois enfants, c'est lui qui ressemblait le plus à son père.

La mère n'écoutait rien de ce qu'on disait, occupée à ses préparatifs. Elle se tint un moment devant son tiroir et finit par l'ouvrir. Elle en sortit un petit paquet, défit le papier fin qui l'enveloppait et considéra ses bijoux. « Dois-je les garder ou les échanger contre de l'argent ? » se demandait-elle. Elle hésita un peu, puis elle se dit : « On me croit veuve et il me sera impossible de les porter, à moins que je ne les conserve pour le mariage de ma fille. » Elle réfléchissait, les yeux fixés sur les ornements qu'elle tenait dans le creux de sa main, et tout à coup, en se rappelant ses souvenirs, elle en eut la nausée ; elle ne songea plus qu'à se délivrer de ces bijoux et à oublier ce qu'ils évoquaient. Bien résolue cette fois, elle se dit : « Je ne les garderai pas. Du reste il est possible qu'il revienne..., mon homme peut rentrer et, s'il les voit, il ne croira jamais que je les ai achetés. » Alors elle enfonça le petit paquet dans son sein et appela sa fille pour se mettre en route.

Elles longèrent le chemin de campagne et traversèrent le hameau encore endormi à cette heure matinale. La mère avançait d'un bon pas, forte de nouveau ; elle marchait libre, la tête haute, dans le brouillard, et tenait sa fille par la main. La petite, en s'efforçant de la suivre, découvrait à quel point elle y voyait mal. Chez elle, dans les endroits connus, elle se dirigeait assez bien, avec assurance, sans se douter qu'elle était guidée par le toucher et les odeurs plutôt que par la vue. Ici, sur cette route inconnue, pleine de bosses et de creux, car les pierres s'enfonçaient plus ou moins, elle serait tombée sans la main de sa mère.

La jeune femme s'en aperçut ; elle prit peur et son âme courut au-devant de cette nouvelle épreuve ; effrayée, elle s'écria : « Je crains qu'il soit trop tard, ma pauvre enfant. Mais tu ne m'as jamais dit que tu n'y voyais pas ; je croyais que l'eau de tes paupières t'aveuglait. »

Et la fillette répondit en sanglotant à demi : « Moi aussi, je le pensais, ma mère, seulement je suis gênée à cause de cette route qui monte et descend et je ne suis pas habituée à marcher si vite. »

La mère ralentit le pas, et elles continuèrent leur chemin sans rien dire. En approchant de la pharmacie, la mère, dans son impatience, se hâta de nouveau sans s'en douter. Il était encore très tôt, et elles furent les premières acheteuses. L'apothicaire enlevait les planches de sa devanture sans se presser ; il s'arrêtait souvent pour bâiller ou enfonçait ses doigts dans ses longs cheveux emmêlés et se grattait la tête. Quand il leva les yeux et vit la paysanne et sa fille debout devant le comptoir, il s'écria, stupéfait : « Que voulez-vous donc d'aussi bonne heure ? »

La mère montra la petite et demanda : « Avez-vous un baume pour ces yeux-là ? »

L'homme regarda fixement la fillette et considéra ces yeux morts aux paupières rougies qui pouvaient à peine s'ouvrir, puis il s'informa : « Comment est-ce arrivé ?

— Au début, nous avons cru que cela venait de la fumée, dit la mère. Mon mari est mort et je suis obligée de faire des travaux d'homme dans les champs, aussi la petite a souvent garni le four quand je revenais tard. Mais ces dernières années il devait y avoir une autre cause, car je l'ai ménagée ; on dirait qu'un feu est en elle et lui brûle les yeux. J'ignore quel genre de feu, car il n'y a pas de jeune fille plus douce, elle n'est même jamais de mauvaise humeur. »

L'homme secoua la tête et bâilla démesurément. Ensuite il dit avec insouciance :

« Beaucoup ont des yeux comme elle, à cause d'un feu intérieur. Il y en a de plusieurs genres, et aucun baume ne guérit ces fièvres. Cela monte continuellement et c'est sans remède. »

Ces mots tombèrent comme du plomb sur les deux cœurs qui espéraient, et la mère dit vivement à voix basse : « Il y a peut-être — il doit y avoir un docteur par ici. En connaissez-vous un qui soit capable et pas trop exigeant, car nous sommes pauvres ? »

Mais l'homme flegmatique secoua sa tête embroussaillée et, tout en prenant une drogue qu'il conservait dans une petite boîte en bois, il répondit :

« Il n'existe aucun art capable de lui rendre la vue. J'en suis certain, car j'ai observé beaucoup de maux de ce genre. Chaque jour des personnes viennent ici avec des yeux dans cet état ; elles se plaignent d'une fièvre intérieure. Il paraît que les docteurs étrangers eux-mêmes ne connaissent pas de traitement efficace, car ils ont beau trancher rouvrir les paupières, et frotter l'intérieur avec des pierres magiques, en marmottant des incantations et des prières, les feux n'en reparaissent pas moins et consument les yeux de nouveau. Personne ne peut détruire ces feux-là, car ils brûlent au-dedans, au centre même de la vie. Mais voici une poudre rafraîchissante qui calme un certain temps, sans guérir toutefois. »

Il prit la poudre roulée en petits grains, semblables à du blé foncé, les glissa dans une plume d'oie, bouchée d'un côté par du suif, puis il répéta encore :

« Oui, elle est aveugle, maîtresse », mais lorsqu'il s'aperçut de l'expression de la jeune fille, effarée à ces mots comme un enfant qui viendrait de recevoir un coup par surprise, il ajouta avec une certaine bonté : « A quoi bon s'affliger ? C'est la destinée. Dans une autre vie elle a dû commettre une mauvaise action, contempler une chose interdite et recevoir cette malédiction. Ou bien son père a péché ou vous-même, maîtresse — qui connaît les cœurs ? Mais, quelle que soit la raison, la malédiction est sur elle ; personne ne saurait modifier les destins du Ciel. »

Et l'homme bâilla de nouveau, son court élan de pitié passé ; il prit les sous que lui tendait la mère et disparut en traînant les pieds, dans l'arrière-boutique.

La jeune femme, enhardie par la colère, lui riposta bravement : « Elle n'est pas aveugle ! Qui donc a jamais entendu parler de maux d'yeux qui font perdre la vue ? La mère de mon homme avait les yeux malades depuis son enfance, mais elle n'est pas morte aveugle pour ça. »

Sans lui donner le temps de répondre, elle prit la main de sa fille et la tint ferme pour l'empêcher de trembler tandis qu'elles se dirigeaient chez un bijoutier inconnu, un homme tout barbu, auquel la mère remit le petit paquet qu'elle tira de son sein :

« Changez-moi cela contre de la monnaie, car mon mari est mort et je ne peux plus le porter », dit-elle bien bas.

Tandis que le vieillard pesait les bijoux pour en estimer la valeur, elle attendit, et la fillette se mit à sangloter doucement dans sa manche, en disant d'une voix entrecoupée :

« Je ne crois pas que je sois vraiment aveugle, ma mère, car il me semble voir briller quelque chose sur la balance, et, n'est-ce pas, si j'étais aveugle, je ne m'en apercevrais pas ? Qu'est-ce que c'est ? »

La mère comprit à ces mots que sa fille n'y voyait plus, ou à peine, car, tout près de son visage, les bijoux étincelaient, bien nets. La jeune femme gémissait en elle-même tout en répondant :

« Tu as raison, ma fille, c'est une bague que j'avais et que je ne peux plus porter, alors je l'échange contre de l'argent qui nous sera utile. »

Ce nouveau chagrin empêcha la mère de donner la moindre pensée aux bijoux qui disparaissaient, ni à ce qu'ils signifiaient pour elle. Malgré leur éclat, son enfant ne les avait pas vus, c'était la seule chose qui importait. Le vieillard les prit et les accrocha dans un petit coffre qui contenait des bracelets, des bagues, des colliers de bébés et toutes sortes de jolis ornements. La jeune femme ne songeait guère aux siens. Ils ne représentaient plus à ses yeux qu'un objet brillant que sa fille aveugle ne distinguait pas.

Il lui restait encore une emplette à faire puisqu'il en était ainsi. Elle reprit la main de la petite pour la protéger, car la rue se remplissait de foule ; on venait acheter et vendre ; les fermiers et jardiniers installaient leurs paniers de légumes frais et verts de chaque côté de la rue et les marayeurs y plaçaient leurs baquets de poisson. La mère continua son chemin jusqu'à une certaine boutique ; elle laissa sa fille devant la porte et entra seule. Le commis lui demanda ce qu'elle désirait et elle montra du doigt un objet en disant : « Ceci. » Il s'agissait d'un petit gong de cuivre accompagné de son marteau de bois. Les aveugles s'en servent lorsqu'ils circulent afin de signaler leur infirmité. Le commis, avant de l'envelopper, frappa un ou deux coups pour prouver sa bonne qualité, et la jeune fille en entendant ce bruit leva brusquement la tête et appela :

« Mère, il y a un aveugle par ici, car j'entends un son clair comme celui d'une cloche. »

Le commis éclata de rire, car il voyait bien l'état des yeux de la fillette, et il s'esclaffa : « Il n'y en a pas d'autre que... » Mais la mère l'interrompit d'un regard si farouche que les mots lui restèrent dans la gorge et il se contenta de lui remettre le gong en la regardant partir, d'un air imbécile, sans comprendre.

Elles revinrent ensuite à la maison. La jeune fille était contente de rentrer, car, à mesure que la matinée s'avançait, la ville devenait de plus en plus bruyante et animée, pleine de bruits inusités qui l'effrayaient ; des voix criardes marchandaient, des gens qu'elle ne voyait pas la rudoyaient au passage, et elle se dirigeait avec sa délicatesse habituelle, posant ses petits pieds ici ou là, souriant inconsciemment malgré sa douleur. Mais la mère se désolait en secret et tenait fermement dans sa main libre l'objet qu'elle venait d'acheter : le signe des aveugles.

Toutefois elle avait beau avoir ce petit gong, elle ne se décidait pas à le donner à sa fille, car elle se refusait à admettre qu'elle fût complètement aveugle. Elle attendit tout l'été ; on récolta le grain de nouveau et on le mesura avec le nouvel agent du propriétaire : son cousin éloigné, ou un parent pauvre, très âgé celui-ci. L'automne parut à son tour, mais la mère n'arrivait pas encore à se décider, elle voulait faire une dernière tentative et invoquer les dieux. Chaque jour, la présence de la petite aveugle lui rappelait les paroles de l'apothicaire : « Un péché commis par les parents — vous-même peut-être ? Qui connaît les cœurs ? »

Elle se dit qu'elle irait visiter un temple — non pas le sanctuaire au bord du chemin, car jamais elle ne s'adresserait aux dieux dont elle avait voilé la face — mais un temple éloigné de plus de dix milles où se trouvait, prétendait-on, une bonne et puissante déesse qui écoute les femmes lorsqu'elles prient du fond de leur amertume. La mère expliqua ce projet à ses fils et ils devinrent très graves, pénétrés de ce qui arrivait à leur sœur. L'aîné observa avec ses façons de petit vieux :

« Je redoutais depuis longtemps quelque chose d'anormal chez elle. »

Mais le plus jeune s'écria, étonné :

« Je ne me suis jamais aperçu qu'elle avait de mauvais yeux, je suis si habitué à la voir comme elle est ! »

La mère mit sa fille au courant : « Je vais dans un temple au sud, lui dit-elle, où il y a une déesse vivante, celle qui a donné un fils à la femme de Li le sixième, après qu'elle était demeurée stérile toute sa vie et qu'elle allait dépasser l'âge de concevoir. Son mari s'impatientait, il était tellement furieux de sa stérilité qu'il voulait prendre une concubine, alors elle est allée prier et elle a enfanté ce bon et beau garçon qu'elle a maintenant. »

La fillette répondit : « Je m'en souviens parfaitement, ma mère, et elle a fait une paire de souliers en soie pour la déesse, et la lui a donnée quand son fils est né. Oui, mère, vas-y, car c'est véritablement une bonne déesse ! »

La mère se mit en route. La journée entière elle lutta contre le vent qui soufflait sans arrêt ce mois-là, amenant avec lui le froid des déserts du nord, si bien que les feuilles se ratatinaient sur les arbres, que l'herbe au bord du chemin devenait cassante et se flétrissait, et que toutes choses se fanaient et mouraient. Mais plus lourde que le vent, plus amère, était cette crainte qui s'emparait de la mère, la peur de voir son péché retomber sur son enfant. Lorsqu'elle arriva au temple, elle ne songea pas à admirer sa grandeur ni sa beauté, ses murs peints d'un rouge rosé, ni les dieux dorés devant lesquels des gens en foule, qu'on voyait entrer et sortir, venaient se prosterner. Elle se hâta de pénétrer à l'intérieur et de rechercher cette déesse, qu'elle connaissait ; elle acheta un peu d'encens à la porte et demanda au premier prêtre grisonnant qu'elle aperçut :

« Où donc se trouve la déesse vivante ? »

Il crut d'après l'aspect commun de la femme avoir affaire à l'une de ces créatures qui venaient si nombreuses, chaque jour, réclamer des fils, et il avança les lèvres dans la direction d'un angle obscur, au fond duquel une vieille déesse crasseuse était assise entre deux figurines de moindre importance qui l'assistaient. La mère se dirigea de ce côté et attendit qu'une vieille toute courbée eût fini de marmotter ses prières. Elle implorait la déesse pour son fils et lui expliquait qu'il gisait sur son lit, immobile depuis des années, trop malade pour être capable même de procréer un fils, et elle priait en disant : « S'il y a un péché dans notre maison que nous n'ayons pas racheté, faites-moi savoir, dame déesse, si c'est à cause de cela qu'il ne peut plus bouger et j'expierai, j'expierai ! »

Puis la vieille femme se leva et s'en alla toussant et soupirant, et la mère s'agenouilla à son tour pour exprimer ses désirs. Mais elle ne pouvait pas oublier les paroles de la vieille femme ; il lui semblait que la déesse prenait un air dur, et que dans le visage doré, bien uni, le regard demeurait fixe, sans être touché par l'âme pécheresse qui priait avant d'avoir expié son péché !

La mère se releva enfin et soupira lourdement ; elle ignorait ce que valait sa supplique, mais elle alluma l'encens et s'en retourna. Lorsqu'elle eut refait les dix milles et se retrouva de nouveau à sa porte, glacée et lasse, elle se laissa tomber sur son escabeau et répondit tristement aux enfants qui s'informaient de quelle manière la déesse avait accueilli sa requête :

« Comment puis-je savoir ce que le ciel ordonne ? J'ai simplement prié et ce sera selon la volonté des dieux ; nous devons attendre qu'ils la fassent connaître. »

Mais de tout son cœur elle souhaitait n'avoir pas péché. Plus elle le désirait, plus elle se demandait pourquoi elle avait agi ainsi ; cet homme au visage lisse lui donnait la nausée, elle le haïssait à cause de sa propre faute qu'elle ne pourrait jamais effacer. Pendant cette heure de profond dégoût, elle se guérit à la fois de ses ardeurs et de sa jeunesse qui la quittèrent. Pour elle, il n'existait plus aucun homme en ce monde, au sens viril ; il ne lui restait que ces trois-là, ses enfants, dont l'un était aveugle.

## CHAPITRE XIII

La mère avait perdu sa jeunesse. Elle était dans sa quarante-troisième année, et quand, parfois, la nuit, elle comptait le temps écoulé depuis le départ du père de ses enfants, elle se servait de ses deux mains et ajoutait encore deux doigts de plus. Quant aux années pendant lesquelles elle s'était fait passer pour veuve au hameau, leur nombre excédait celui des doigts de toute une main.

Cependant elle était restée mince et marchait plus droit que jamais. Sa silhouette n'épaississait pas. D'autres se fanaient ou prenaient de l'embonpoint ; sa cousine, par exemple, engraissait tous les ans, de même que la vieille commère du village. Mais elle-même demeurait aussi svelte et robuste que dans sa jeunesse. Seulement, ses seins diminuèrent et se desséchèrent et, quand on voyait son visage de face en pleine lumière, de petites rides apparaissaient autour des yeux, amenées par le travail au soleil éclatant et dur ; sa peau était brunie aussi, brûlée après tant d'années passées aux champs ; son ancienne légèreté d'allure avait disparu, elle devenait moins agile qu'autrefois, car elle ne s'était jamais sentie tout à fait la même depuis qu'elle avait extirpé de son corps la vie sauvage qu'il abritait. Lorsqu'on l'appelait au village pour une naissance, ce qui arrivait souvent, puisqu'elle était veuve et comptait parmi les plus âgées, elle éprouvait une certaine difficulté à se mouvoir assez rapidement et, une ou deux fois, la jeune accouchée avait dû attraper elle-même son enfant ; ensuite, un jour, la mère laissa tomber un nouveau-né sur le pavé de briques ; c'était un garçon ; heureusement il s'en tira avec une contusion à la tête et devint très vigoureux sans que son cerveau fût atteint.

Ses enfants, à mesure qu'ils grandissaient, la considéraient comme très âgée. L'aîné la suppliait sans cesse de se reposer, de ne pas soulever ainsi les grosses mottes de terre après les labours et de lui laisser ce soin, car il s'en tirait facilement ; arrivé à l'âge d'homme, il était en pleine force. Il s'efforçait de lui passer les tâches légères, et rien ne lui plaisait autant que de la voir coudre tranquillement par un jour d'été, assise à l'ombre sur son escabeau, tandis qu'il allait aux champs.

Mais en réalité elle n'était pas aussi vieille que son fils voulait le croire. Elle avait toujours préféré le travail de la terre à aucun autre, et elle aimait besogner sur le sol, puis revenir à la maison, le corps humide d'une sueur propre que le souffle du vent rafraîchissait et la chair lasse, d'une bonne fatigue. Ses yeux étaient habitués aux champs, aux montagnes et aux grands aspects, et ils ne se rétrécissaient pas facilement à la mesure des petites aiguilles fines.

Il manquait vraiment une femme alerte à la maison, avec de bons yeux, car ils savaient tous à présent que la jeune fille était aveugle. Elle-même s'en rendait compte, la pauvre, depuis le jour où elle avait été en ville avec sa mère. Ni l'une ni l'autre ne mettaient grande confiance dans la déesse ; la mère parce qu'elle redoutait les conséquences de son péché d'autrefois, la fille parce qu'il lui semblait que c'était sa destinée d'être aveugle.

Un jour la mère lui demanda : « Te reste-t-il encore de la poudre dans ta plume d'oie ? », et la jeune fille répondit tranquillement du seuil de la porte sur lequel elle était assise, car au moins la lumière ne lui faisait plus mal depuis qu'elle ne la voyait plus : « Il y a longtemps que j'ai tout employé. »

La mère ajouta : « Il faudra que j'en achète d'autre, pourquoi ne me l'as-tu pas dit ? »

La jeune fille secoua la tête et, lorsque la mère la regarda, son cœur s'arrêta de battre. Des mots sortaient, farouches, de cette bouche si douce : « Oh ! mère ! Je suis aveugle — je sais bien que je suis aveugle, je ne te vois plus du tout, et si je dépassais la barrière de la cour de l'autre côté de l'aire je serais incapable de me diriger. Ne remarques-tu pas que je ne m'éloigne jamais de la maison, pas même pour aller aux champs ? »

Et elle fondit en larmes, en se mordant les lèvres avec une grimace de douleur, car pleurer la faisait encore souffrir et elle cherchait le plus possible à s'en empêcher.

La mère ne répondit pas. Que pouvait-elle dire à son enfant aveugle ?... Au bout d'un moment elle se leva, alla dans sa chambre et, au fond du tiroir qui, jadis, contenait ses bijoux, elle prit le petit gong qu'elle avait acheté et revint vers sa fille. « Mon enfant, fit-elle, j'ai pris cet objet pour le jour où... »

Elle ne put achever, mais glissa le gong entre les doigts de la jeune fille, qui s'en empara, devinant très vite de quoi il s'agissait. Elle le serra et, calme de nouveau, elle répondit de sa voix plaintive : « Oui, j'en ai besoin, mère. »

Lorsque le fils aîné revint ce soir-là, sa mère le pria de couper un bâton de bois dur, et de le polir pour la main de sa sœur, en sorte qu'avec son signal avertisseur d'un côté, et de l'autre ce bâton, elle pût circuler plus librement, avec moins de crainte, comme le font les aveugles. Si elle attrapait du mal, si on la bousculait par inadvertance ou la faisait tomber, la mère ne recevrait aucun blâme, car elle avait remis à la jeune fille le signe des aveugles : il était bien visible aux yeux de tous.

Dorénavant la jeune fille ne sortit jamais de chez elle sans ces deux objets : son bâton et son petit gong qu'elle apprit à faire résonner, doux et clair, et elle marchait d'un pas sûr et tranquille : une fille assez jolie, à la petite figure triste, et les traits empreints de cette immobilité que la cécité imprime à un visage.

Cependant l'aveugle était d'une remarquable adresse à la maison dans ses allées et venues. Le signal et le bâton lui devenaient inutiles alors ; elle lavait le riz et le cuisait, mais sa mère ne la laissait plus allumer le feu ; elle balayait la pièce et l'aire, cherchait de l'eau à la mare et des œufs dans les nids habituels ; elle reconnaissait à l'odeur et au son l'endroit où se tenaient les bêtes et savait placer la nourriture devant elles ; elle arrivait à se tirer de presque tous les travaux, sauf de ceux des champs et de la couture. Elle manquait de force pour les besognes de la terre, ses souffrances depuis le premier âge semblaient avoir arrêté sa croissance.

En la voyant circuler ainsi, la mère sentait son cœur se fondre, et elle se demandait avec angoisse quel sort serait réservé à sa fille quand elle se verrait forcée de la marier. Car d'une manière ou de l'autre il faudrait en arriver là, de crainte qu'après la mort de sa mère il n'y eût personne pour prendre soin de la petite, ni à qui elle appartînt vraiment, puisqu'une femme ne fait pas partie de la maison dans laquelle elle est née, mais de celle de son mari. Souvent, la mère songeait à cela et se demandait qui voudrait d'une aveugle, et, si personne ne s'en chargeait, qu'arriverait-il plus tard ? Quand elle parlait de cette question, son fils aîné lui disait : « Je prendrai soin d'elle, ma mère, tant qu'elle fera sa part de travail. » Cela consolait la mère quelque peu, cependant elle savait qu'on ne connaît vraiment un homme que lorsqu'on sait ce que vaut sa femme, et elle pensait : « Il faudra que je trouve quelqu'un qui s'occupe bien de ma petite aveugle et soit bonne pour elle. Quand je me mettrai à la recherche d'une bru, il faudra en choisir une qui prenne soin de deux personnes, de son mari et de sa belle-sœur. »

Il était temps du reste que la mère songeât à trouver une femme pour son fils aîné. Presque sans qu'elle s'en doutât, il atteignait ses dix-neuf ans. Cependant il n'avait jamais exprimé le désir de se marier, ni montré qu'il éprouvait le besoin d'avoir une femme. On ne pouvait trouver de meilleur fils ni de plus doux ; il travaillait dur, ne réclamait rien, et s'il se rendait à la maison de thé quelquefois, et de loin en loin passait un jour férié en ville, il y mêlait toujours quelque affaire ; jamais il ne prenait part à aucune débauche, ni même à un jeu de hasard, qu'il se contentait de regarder de loin, et il se taisait devant ses aînés.

Un fils parfait auquel il ne restait qu'un défaut une fois les peccadilles de l'enfance passées : il ne voulait pas épargner son frère cadet. C'était une chose curieuse que cet aîné si égal de caractère, si doux envers le monde entier, et même à l'égard des animaux ; silencieux au point de répondre à peine lorsque sa mère, quand elle allait lui acheter une veste neuve, lui demandait de quelle couleur il la voulait ; ce même garçon se montrait dur en tant que frère, il invectivait le gamin dès qu'il ralentissait son ardeur ou s'amusait, et il l'obligeait brutalement à faire toutes sortes de travaux dans les champs. La maison était pleine de querelles ; le plus jeune, très bruyant, vociférait, et l'aîné gardait le silence tant qu'il le pouvait. Poussé à bout, il tombait sur son frère avec ce qui se trouvait à sa portée ou bien avec ses mains nues, et il le battait jusqu'à ce que le cadet se sauvât en pleurant comme un veau, s'esquivant entre les arbres et se réfugiant chez ses cousins. Les choses en vinrent au point que tout le hameau se mit à blâmer l'aîné pour sa dureté et courut au secours du plus jeune. Celui-ci, encouragé, s'enhardit, lâcha son travail et finit par vivre surtout dans la maison du cousin, perdu au milieu des garçons et des filles qui, en grand nombre, poussaient comme ils voulaient, et il ne rentrait librement chez lui que lorsqu'il voyait son frère parti au travail.

Mais parfois l'amertume s'amassait dans le cœur de l'aîné, et il rentrait avant l'heure, trouvait son frère, lui mettait la tête sous son bras, et le frappait jusqu'à ce que sa mère accourût en criant : « Laisse-le à présent, laisse-le ! c'est honteux, fils, de battre ton petit frère comme cela, et d'effrayer ta sœur ! »

Mais le jeune homme répondait avec âpreté : « Ne dois-je pas le corriger, il n'a pas son père et je suis l'aîné. Il n'est qu'un vaurien, un paresseux, qui joue chaque fois qu'il en a l'occasion. Tu le sais bien, mère, mais c'est ton préféré. »

En effet, la mère avait un faible pour lui. Il lui

remuait le cœur. L'aîné était devenu homme trop vite, semblait-il, toujours silencieux, sans un mot à dire à personne. Elle ne se rendait pas compte que la fatigue lui fermait souvent la bouche et que ce qu'elle prenait pour de l'humeur maussade n'était qu'extrême lassitude. Quand à sa fille, la mère l'aimait tendrement, mais cette tendresse était douloureuse ; ces yeux aveugles lui reprochaient sans cesse sa faute. Elle ne pouvait oublier que la déesse n'avait pas écouté sa prière, et elle n'osait la renouveler, craignant que son péché ne soit retombé sur la tête de son enfant, ce qu'elle ne pouvait supporter. Et son cœur avait beau être ému de pitié pour sa fille, celle-ci ne lui causait aucune joie. Parfois elle s'approchait en souriant de sa mère, elle s'asseyait près d'elle, très effectueuse, pour écouter sa voix, mais la mère trouvait un prétexte, se levait et s'occupait ailleurs, incapable de supporter la vue de ces yeux humides, clos et vides.

Le dernier-né seul était sain, vigoureux et gai. Il ressemblait au père, et de plus en plus l'amour que la mère avait eu pour son homme se reportait sur ce fils. Elle l'adorait et se mettait souvent entre lui et son frère, se précipitant entre eux dès que le jeune homme s'emparait du gamin, interceptant les coups, si bien que l'aîné, confus à l'idée de frapper sa mère, s'arrêtait, et le petit s'esquivait.

Il se sauvait de plus en plus souvent et, après s'être caché dans la maison de ses cousins, il errait ici ou là, et jusque dans la ville. Il disparaissait pendant un ou deux jours, puis revenait chez le cousin d'où il épiait l'humeur de son frère et rentrait à la maison comme s'il n'avait jamais quitté celle d'en face. Quand il lui arrivait d'y rester, la mère attendait le départ de l'aîné, puis allait le chercher et le ramenait par quelque douceur. Cependant elle craignait son aîné, et il lui arrivait de l'accompagner aux champs, d'où elle revenait la première, pour donner le repas au second, avant le retour de son frère ; il choisissait le meilleur de chaque plat, et sa mère l'aimait tellement qu'elle le laissait faire. Elle l'aimait à cause de ses paroles joyeuses, sa manière d'être, sa figure unie et ronde, et ce même corps souple, agile, qui frappait chez son père. L'aîné avait la main dure et lente, il marchait déjà courbé par le travail, mais le gamin était vif, brun, entièrement lisse de peau et léger sur ses pieds comme un jeune chat, en sorte que sa mère l'aimait.

L'aîné, si lourd, sentait cette chaude affection que sa mère portait à son frère, et il méditait là-dessus. Il se souvenait de chaque journée de labeur, de tout le travail qu'il avait épargné à sa mère, et il ne croyait pas connaître de cœur plus dur que celui de cette femme qui ne comptait pour rien tant d'efforts accomplis à cause d'elle depuis l'enfance. Petit à petit l'amertume s'amassait dans son cœur et il détesta son frère.

## CHAPITRE XIV

La haine pour son frère cadet continuait à se concentrer chez l'aîné. La mère ne s'aperçut combien elle était profonde que le jour où elle éclata, faisant irruption, comme un fleuve maintenu jusqu'alors par une digue mais gonflé des eaux de diverses petites sources secrètes. Chacun est surpris quand ce fleuve rompt les obstacles, car on ignorait les forces qu'il accumulait tout en paraissant suivre son cours normal.

C'était l'époque de la récolte du riz, à la fin de l'été, lorsqu'il faut peiner dur sur le sol, de l'aube à la nuit, et que tous ceux qui ne sont pas assez riches pour louer un aide doivent travailler. Le second s'y était mis lui aussi ; en général il s'arrangeait, trouvait une excuse et s'éloignait. Mais cette fois-ci sa mère l'avait amadoué en secret, tout en caressant sa main osseuse de garçonnet : « Travaille bien, pendant les moissons, lui avait-elle dit, et montre à ton aîné ce que tu sais faire. Si tu réussis à le contenter, je t'achèterai quelque chose de joli à la fin des travaux, ce que tu préféreras. »

Le gamin promit ; ses lèvres rouges faisaient la moue, car il se sentait durement traité, et il se mit l'œuvre, sans excès, mais de manière à sauver sa peau quand le regard de son frère se dirigeait de son côté.

Ce jour-là, la pluie menaçait et les gerbes n'étaient pas serrées. Ils travaillèrent tous au-delà de l'heure habituelle et la mère n'en pouvait plus. Elle était moins résistante qu'avant cette nuit sombre où elle avait avalé ces herbes amères afin de sauver son honneur. Elle soupira et redressa son dos douloureux :

« Mon fils, dit-elle, je vais rentrer veiller à ce que ton souper soit chaud quand tu reviendras, car je suis épuisée et endolorie.

— Rentre donc », répondit l'aîné d'un ton qui paraissait rude, mais à son insu, car il n'avait jamais poussé sa mère à dépasser ses forces. Elle partit et laissa les frères seuls ; l'heure était tardive, même pour les glaneurs qui les avaient suivis dans la journée.

Elle venait à peine de mettre la nourriture sur le feu lorsque la jeune fille lui cria qu'elle entendait pleurer son petit frère ; quand la mère sortit en courant de la cuisine, un son alarmant lui parvint, et elle se hâta vers le champ qu'on moissonnait. Son fils aîné maintenait le cadet d'une main forte contre les gerbes de blé et le frappait sans merci avec le manche de sa faux ; le petit hurlait, donnait des coups de poing et se débattait, cherchant à échapper à l'étreinte de son frère qui le tenait par le cou et continuait à cogner sur lui. La mère se précipita sur son fils en colère, s'accrocha à lui et le supplia :

« Oh, mon fils ! Ce n'est qu'un gosse !... Mon fils ! Oh, mon fils ! »

Pendant ce temps le gamin s'esquiva ; il glissa des mains de l'aîné, fila comme un lièvre à travers champs, et se perdit dans le crépuscule. La mère resta seule en présence de son fils si plein d'animosité. Elle dit d'une voix mal assurée : « Il est si enfant, il n'a que quatorze ans et songe encore à s'amuser. »

Le jeune homme répondit :

« Etais-je un enfant à quatorze ans ? Est-ce que je m'amusais pendant les moissons, à cet âge-là, et avais-je besoin que tu m'achètes par des promesses de bague, de robe neuve et de je ne sais quoi, quand je n'avais rien gagné ? »

Alors elle sut que le stupide gamin s'était vanté de ce qu'il recevrait, et, prise en faute, elle demeura bouche bée, les yeux fixés sur son fils, sans mot dire, tandis qu'il criait, exhalant son amertume : « Oui, tu as la garde de l'argent, je te donne tout ce que nous gagnons ; je ne prends pas le moindre sou pour moi-même, jamais je ne m'offre une pipe quelconque, un bol de vin, le moindre objet auquel un autre jugerait qu'il a droit. Cependant tu veux lui donner ce que je n'ai pas eu. Et pourquoi cela ? Pour l'obliger à faire un travail qui devrait payer sa nourriture et son vêtement, sans salaire aucun !

— Je n'ai parlé ni de bague, ni de robe », dit la mère d'une voix basse et troublée ; elle se sentait craintive devant ce fils en général si grave et tranquille, qu'elle ne reconnaissait pas à présent, dans sa colère.

« Mais si, dit-il avec emportement, ou c'est peut-être pire, car il a prétendu qu'il recevrait ce qui lui plairait quand l'argent de la récolte serait rentré, les taxes une fois payées. Il affirme que tu l'as promis.

— Je songeais à une simple bagatelle de deux sous », répondit-elle, confuse devant ce bon fils. Puis elle rassembla son courage — car elle était sa mère après tout — et ajouta : « Et si je lui ai promis, c'est uniquement pour le sauver de ta colère qui tombe sur lui quoi qu'il fasse, tu l'humilies avec tes regards et tes mots cruels, et maintenant par tes coups ! »

Il ne voulut rien répondre et se remit à ses gerbes. Il s'acharnait fiévreusement comme possédé par un démon. La mère le regardait perplexe ; elle avait beau le trouver dur envers son petit frère, elle-même se sentait dans son tort. Tandis qu'elle l'observait, elle s'aperçut qu'il était prêt à pleurer et serrait les mâchoires pour étouffer un sanglot. Lorsqu'elle vit ce signe d'émotion chez un être qui n'en montrait pas en général et qui semblait si routinier, satisfait, et sans désir aucun, son cœur maternel s'amollit, mais elle n'en laissa rien paraître, comme chaque fois qu'elle avait blessé l'un de ses enfants, et, plus attendrie qu'elle ne l'avait jamais été, elle s'écria bien vite :

« J'ai eu tort, fils. J'ai mal agi envers toi ces derniers temps. Je ne remarquais pas que tu grandissais. Mais tu es devenu un homme. Je m'en rends compte à présent et tu prendras ton rang au logis : le premier en titre, comme tu l'as toujours été par le travail. Je m'aperçois de tout cela, et je vais agir immédiatement, car j'ai trop tardé. Je te chercherai une femme et ce sera votre tour, à elle et à toi, je comprends que ce doit être ainsi. »

De cette manière elle fit amende honorable. Il marmotta quelques paroles inintelligibles, tourna le dos et se remit au travail sans rien ajouter. Mais elle se sentait allégée par ses concessions et elle s'en alla en s'écriant : « Tout le riz va être brûlé, je pense ! » Elle cherchait par ces mots à atténuer l'émoi de cet instant et à le faire paraître plus naturel.

Quand elle rentra, elle s'occupa de côté et d'autre, sa fatigue disparue, et quand sa fille lui demanda : « Mère, que se passait-il ? », elle répliqua très vite : « Pas grand-chose, mon enfant, ton petit frère refusait de faire sa part de travail, ou, du moins, l'aîné s'en plaignait. Les frères se querellent toujours entre eux, je me figure. » Et elle se hâta de préparer un des plats préférés de son fils. Elle arracha des radis qu'elle coupa en tranches et les arrosa de vinaigre, d'huile de sésame et de sauce de fèves. Elle réfléchissait en même temps, satisfaite d'avoir réparé ses torts ; il lui semblait juste de marier son fils et elle se reprocha de s'être appuyée sur lui sans lui accorder les privilèges de son âge. Elle était décidée à tenir ses promesses.

Il rentra enfin, plus tard que de coutume. Il faisait tout à fait nuit et elle n'aperçut son visage que lorsqu'il s'approcha de la table sur laquelle elle avait posé une bougie allumée. Elle l'observa de près alors, sans qu'il pût s'en douter, et elle lui retrouva son expression habituelle. Il semblait satisfait de ce qu'elle lui avait dit et toute trace de colère avait disparu de son visage. En voyant son expression paisible, elle appela le plus jeune qui hésitait devant la porte, attiré par la faim, mais n'osant pas avancer avant de connaître l'humeur de son aîné :

« Entre, mon petit ! » lui cria la mère.

Il vint, les yeux fixés sur son frère qui ne fit aucune attention à lui, calmé pour l'instant. La mère se sentait heureuse, certaine d'avoir agi sagement, et s'occupa de mettre son projet à exécution.

Comme chaque fois qu'elle se trouvait embarrassée, elle alla trouver ses cousins. Elle-même ne connaissait aucune jeune fille. Il ne pouvait être question d'en choisir au hameau, car toutes lui étaient parentes par le sang ou par alliance et portaient son nom. En ville, elle ne connaissait personne en dehors des petits marchands qui lui achetaient le peu qu'elle avait à vendre. Elle entra donc un soir chez ses cousins. Il faisait encore chaud malgré l'approche de l'automne, et ils restèrent assis à causer pendant que la cousine allaitait son dernier-né. La mère leur fit enfin part de son désir :

« Ma sœur, lui dit-elle, ne connaitriez-vous pas une jeune fille dans le village que vous habitiez avant votre mariage ? Quelqu'un dans votre genre me plairait assez ; de bonne humeur, prompte à concevoir et pas trop maladroite au travail. Je peux m'occuper de la maison pendant bien des années, aussi je m'en arrangerai si elle n'est pas très capable de ce côté-là. »

La bonne cousine éclata de rire et regarda son mari : « Je ne sais pas s'il trouve que ce sera une bénédiction pour votre fils, ou le contraire, d'avoir une femme qui me ressemble », dit-elle.

L'homme leva la tête de son geste lent. Il avait dans la bouche une tige de riz qu'il mâchonnait tout en écoutant et il répondit d'un air réfléchi : « Oh ! oui, pas trop mal... »

Sa femme se mit à rire de nouveau en remarquant cette tiédeur, puis elle dit : « Je crois que je pourrai aller là-bas me renseigner un peu, ma sœur ; il y a environ deux cents familles dans ce village qui possède un marché, et sans doute trouverai-je une jeune fille, parmi toutes celles à marier. »

Ils continuèrent à parler sur ce sujet et la mère déclara nettement qu'elle ne pouvait s'engager à aucune dépense et elle ajouta : « Je sais très bien que je ne dois pas espérer la perfection, étant pauvre, et mon fils n'a que peu de terres. Nous en louons plus que nous n'en possédons. »

L'homme eut son mot à dire là-dessus : « En

tout cas, vous en avez et c'est quelque chose par le temps qui court, où beaucoup n'ont rien. J'aimerais mieux marier ma fille à un homme qui a des terres et qui est pauvre, qu'à un riche qui n'a pas de sol ferme sous les pieds. Un brave homme et une bonne terre, voilà ce que je désire pour ma fille ! »

Sa femme lui dit alors : « Eh bien ! père de mes enfants, laisse-moi partir, j'irai passer un ou deux jours dans cette ville et je m'informerai. »

Il approuva en peu de mots, selon son habitude : « Je te l'accorde, les filles sont assez grandes pour te remplacer de temps à autre. »

Peu après, la cousine se vêtit proprement, prit le bébé, loua une brouette, et y entassa un ou deux de ses plus jeunes enfants, pour les présenter à la famille de son père, ainsi que deux grandes filles qui lui aideraient à s'occuper des petits ; elle-même monta sur l'âne gris dont son mari n'aurait aucun besoin, les moissons terminées ; le buffle suffirait à piétiner le grain. Ils partirent donc et restèrent plus de trois jours absents. Au retour, la cousine ne songeait qu'à toutes les jeunes filles qu'elle avait vues, et elle dit à la mère qui accourait aux nouvelles dès qu'elle la sut rentrée :

« Il y a énormément de jeunes filles dans ce village, car nous ne les tuons jamais, comme on le fait dans certaines villes, lorsque les nouveaunés ne sont pas des mâles, là on permet aux filles de grandir, même si la mère en a beaucoup, aussi le village en est-il rempli. J'en ai vu une douzaine que je connaissais moi-même, ma sœur, toutes bien venues, en bonne chair et hautes en couleur, chacune eût fait l'affaire pour n'importe lequel de mes fils, mais une seule devait être choisie ; je clignai des yeux, j'examinai l'une, puis l'autre ; trois me plurent surtout, je les considérai de nouveau et m'aperçus que l'une toussait et avait le nez morveux, les yeux de la seconde ne me paraissaient pas très sains, la troisième m'a semblé la mieux de toutes. Une fille adroite et intelligente, j'en suis certaine, très soigneuse dans ses actions et ses paroles : on prétend qu'elle coud plus vite que toutes les autres femmes de la ville. Elle fait elle-même ses vêtements, ceux de la maisonnée de son père, et gagne quelques pièces d'argent en travaillant pour les gens du dehors. Elle est peut-être un peu vieille pour votre fils, car elle a déjà été fiancée, mais le garçon est mort avant l'âge, sans quoi elle serait mariée. Du reste, ce n'est pas un mal, car le père est très désireux de la caser d'une manière ou de l'autre et ne sera guère exigeant pour le prix. Elle n'est pas aussi jolie peut-être que les autres — le visage jauni d'avoir trop cousu, mais elle a les yeux sains. »

La mère répondit vivement : « Nous avons suffisamment d'yeux malades dans notre maison, je vous le jure, et les miens ne sont pas ce qu'ils étaient ; il nous faut quelqu'un qui sache coudre et qui aime ce travail. Arrangez-vous donc avec celle-ci, ma sœur, ce sera bien, si son âge ne dépasse pas de plus de cinq ans celui de mon fils. »

La décision prise, on compara les jours du mois, l'année, l'heure des naissances respectives, sur la table du géomancien de la ville, et tout se montra favorable. Le jeune homme était né sous le signe du cheval, et la jeune fille sous celui du chat ; ces animaux ne se dévorent pas entre eux, ce qui permet de prédire l'harmonie dans le ménage. La destinée étant favorable, on donna les présents d'usage.

La mère sortit de sa petite réserve cachée quelques pièces d'argent et de bronze et elle acheta de la bonne étoffe de coton et cousit elle-même deux vêtements pour la jeune fille. Selon la coutume de la contrée elle désira faire tailler ces vêtements par une personne connue pour sa chance, une femme dont la vie était complète entre son mari et ses enfants. Personne au hameau n'était mieux désigné pour cela que la cousine. La mère lui apporta la bonne étoffe et lui dit : « Posez votre main là, ma sœur, et portez bonheur à la femme de mon fils. »

La cousine fit ainsi ; elle tailla les vêtements bien larges et amples sur le ventre, de manière qu'ils pussent servir quand la jeune femme concevrait et ne fussent pas mis au rebut.

La mère prit d'autre argent et loua la chaise à porteurs écarlate, ainsi que la couronne, les boucles d'oreilles en fausses perles et tout ce qui sert pour les noces, principalement les pantalons rouges dont chaque mariée doit se parer. La date était fixée ; elle approchait et on l'atteignit enfin :

une journée limpide et froide au milieu de l'hiver de cette année.

Et quelle journée étrange que celle où la mère, à la fois maître et maîtresse du logis, devait y accueillir une inconnue ! Elle attendait la jeune femme, debout sur le seuil, revêtu de ses plus beaux vêtements. Lorsqu'elle vit apparaître la chaise nuptiale dans laquelle se trouvait la mariée, il lui sembla brusquement qu'il s'était écoulé bien peu de temps depuis le jour où on la conduisait elle-même dans cette chaise, devant l'aïeule défunte, et son fils, le marié d'alors, qui se tenait à la place qu'occupait aujourd'hui son fils à elle, debout à son côté. Elle songeait rarement à son homme ; elle avait vraiment l'impression qu'il était mort, mais à cette heure-ci un étonnant désir de lui s'empara d'elle soudain ; non pas le désir de la chair — tout cela était passé, bien mort — mais un besoin différent, celui d'avoir près d'elle quelqu'un de son âge qui la compléterait, car elle se sentait seule.

Elle considéra le jeune homme d'un regard nouveau ; il n'était plus uniquement son fils, mais le mari d'une autre. Il se tenait immobile, tête baissée, tout raide dans la nouvelle robe qu'elle lui avait faite, ses pieds, nus d'habitude, emprisonnés dans des souliers. Il paraissait indifférent ; elle le croyait du moins, avant de constater le tremblement de ses mains qui ressortaient sur sa robe sombre. Elle soupira une fois de plus et se souvint de son mari tel qu'il lui était apparu lorsqu'elle lui avait lancé un coup d'œil à la dérobée, entre les rideaux de sa chaise ; elle l'avait trouvé si beau, si agréable à voir, que son cœur avait bondi dans sa poitrine. Oui, il était bien mieux que son fils, elle n'avait jamais rencontré de plus joli garçon, songeait-elle.

Mais elle n'eut pas le temps d'éprouver plus qu'une vague souffrance, car la procession s'avançait : en première ligne les menus fruits destinés à la noce, puis le coq qu'elle avait envoyé chez la mariée et qu'on lui rendait, selon l'usage, avec une poule à laquelle il était accouplé. Enfin la chaise nuptiale fut déposée devant la porte et la cousine, la commère du village et les autres femmes âgées du hameau prirent la main de la mariée et cherchèrent à l'entraîner. Elle se montra correcte et récalcitrante et ne vint qu'à regret, tenant les yeux baissés sans les relever une seule fois. La mère se retira alors chez son cousin, selon l'habitude de la contrée, où l'on dit que l'épouse ne doit pas apercevoir trop facilement sa belle-mère, de peur qu'elle ne la craigne pas assez par la suite. Aussi la mère passa toute la journée chez ses cousins.

Cependant elle ne s'éloigna guère de la porte, curieuse de savoir ce qui se disait au sujet de la nouvelle épouse, et elle entendit quelqu'un s'écrier : « Une jeune fille très bien et d'aspect sérieux. » Une autre personne observait : « On dit qu'elle coud à merveille, et si elle a fait elle-même les souliers qu'elle porte, je vous promets qu'elle a dix doigts habiles. » Des femmes s'avancèrent, touchèrent les vêtements de noce rouges, soulevèrent la veste pour examiner les dessous et tout semblait soigneusement travaillé, les boutons de drap tordu étaient fermes et cousus avec soin. Elles coururent l'annoncer à la mère : « C'est une jeune femme capable et comme il faut, dirent-elles, très convenable, maîtresse. » Mais, parmi les hommes, quelques-uns s'exprimèrent grossièrement et l'un d'eux déclara : « Trop jaune et trop maigre à mon goût, je vous en réponds ! » Et un autre répondit : « Oui, seulement attendez quelques mois et sa maigreur disparaîtra, mon frère. Rien de mieux qu'un homme pour faire enfler une fille. »

Et, au milieu de ces propos joyeux et grivois, la jeune femme entra modestement dans sa nouvelle demeure. Elle était mariée.

La mère dut quitter la couche dans laquelle elle dormait depuis tant d'années. Selon l'habitude de la contrée, sa bru lui prépara son lit, à l'endroit où la vieille défunte avait eu le sien, derrière le rideau. Depuis, le jeune homme lui avait succédé, l'aveugle reposant sur un grabat à côté et le gamin dans la cuisine, lorsqu'il rentrait à la maison. Dorénavant, le fils aîné devrait s'étendre auprès de sa femme sur le vrai lit.

La mère ne renonça pas aisément en faveur du nouveau couple à cette place qu'elle avait occupée auprès de son homme et, la nuit, allongée sur la couche de l'aïeule, elle se croyait très âgée. Tant que le jour durait, elle se sentait comme à l'ordinaire, affairée ici et là, commandant aux uns et aux autres, la langue prompte à corriger et à ordonner, mais la nuit venue elle redevenait vieille. Souvent elle s'éveillait, incapable de se figurer que c'était bien elle qui se trouvait couchée là, tandis que les époux dormaient dans son lit, et elle se disait, stupéfaite : « La pauvre créature que j'ai remplacée à dû ressentir ce que j'éprouve à présent, lorsque, jeune femme, je suis entrée ici et l'ai poussée hors de sa couche pour m'y installer à mon tour avec son fils. Et maintenant une autre y repose auprès du mien. »

Cela semblait si étrange, si interminable, ce tournoiement de quelque roue cachée, ce passage d'un anneau à l'autre formant une chaîne éternelle. La mère était éblouie, bien qu'elle n'eût qu'une vague perception de ces choses, n'étant pas de nature à réfléchir au sens des événements, qu'elle acceptait en général tels qu'ils se présentaient. Et elle se sentait amoindrie à ses propres yeux, dépossédée, tout en continuant à diriger et à conserver en titre le premier rang.

Elle observait sa bru. La jeune femme se montrait pleine d'égards et venait chaque matin s'incliner devant sa belle-mère, jusqu'à ce que celle-ci, excédée, lui criât : « Cela suffit. » La mère ne lui découvrait aucun défaut. Puis, cette perfection même lui parut en être un et elle marmotta : « Il doit y avoir quelque vice caché que j'ignore encore ! »

Car, au premier abord, la femme de son fils ne se dévoila pas entièrement, ainsi que le font certaines natures. Elle fit preuve de diligence, travailla vite et bien, et une fois son ouvrage terminé, elle s'asseyait et cousait pour son mari, et elle donnait à chaque chose qu'elle entreprenait un tour de main particulier.

Mais il n'y a pas deux femmes au monde qui accomplissent une tâche de la même manière. La mère ne s'en doutait aucunement. Elle était persuadée que chacun faisait comme elle ; au contraire sa bru agissait à sa guise ; elle cuisait le riz avec trop d'eau, il devenait pâteux, ce que la mère n'aimait pas. Celle-ci en fit l'observation à sa belle-fille, qui pinça doucement ses lèvres pâles et se contenta de déclarer : « Je l'ai toujours préparé ainsi », et continua comme par le passé.

Cela se renouvelait à propos de tout. La jeune femme opérait des transformations qui lui déplaisaient dans la maison, avec ordre et patience sans rien brusquer, ni donner prise à la colère. Ainsi l'odeur des bêtes lui déplaisait la nuit ; elle s'en plaignit à l'homme sans en parler à sa belle-mère et, dès ce même hiver, il se mit à l'œuvre et ajouta une chambre à la maison, dans laquelle ils pourraient transporter leur lit et dormir seuls. La mère considéra avec étonnement ces manières nouvelles.

Au début, elle avait dit à l'aveugle que jamais elle ne se fâcherait contre sa bru. En effet, il était difficile de s'impatienter sur le moment, car la jeune femme se montrait très soigneuse et appliquée dans son travail, en sorte qu'il était difficile de dire : « Ceci ne va pas », ou « vous avez mal fait cela ». Mais bien des choses déplaisaient à la mère, en particulier ce riz si mou. Elle grommelait souvent et finit par s'écrier tout haut : « Je ne me sens jamais complètement rassasiée avec cette nourriture molle. Je ne trouve rien sous mes dents. C'est plein d'eau et me glisse dans le ventre comme un vent ; cela ne reste pas, ainsi qu'une bonne nourriture substantielle devrait le faire. »

Et, lorsqu'elle s'aperçut que sa belle-fille ne prêtait aucune attention à ses paroles, elle alla en secret trouver son fils, occupé aux champs, et elle lui dit : « Mon fils, pourquoi ne lui demandes-tu pas de faire son riz plus sec et dur ? Tu le préférais ainsi, il me semble. »

Le jeune homme s'interrompit et s'appuya un instant sur son sarcloir en répondant d'une voix tranquille : « Je le trouve bon de la manière dont elle le prépare. »

La mère sentit monter sa colère et s'écria : « Tu trouvais cela mauvais autrefois et je vois bien que tu te ranges de son côté et non du mien. C'est honteux d'avoir tant d'affection pour elle et de te mettre contre ta mère ! »

Le jeune homme rougit et dit simplement : « C'est vrai que je l'aime bien », puis il se remit à sarcler.

A partir de ce jour, la mère comprit qu'ils étaient tous deux maîtres dans la maison. Le fils aîné ne s'en montrait pas moins gentil à son égard. Il continuait à bien travailler et à recevoir l'argent. Ni lui ni sa femme ne le dépensaient, car ils étaient l'un et l'autre de caractère économe. Mais en leur qualité d'époux, à qui appartenaient la demeure et les terres, ils considéraient la mère comme la vieille femme de la maison. Lorsqu'elle parlait des champs, des semences et de tous les travaux qu'elle connaissait à fond, puisque c'étaient les siens, ils la laissaient dire, seulement ils ne tenaient aucun compte de ses remarques, et agissaient à leur idée. Elle sentait bien qu'elle n'était rien et que sa sagesse ne comptait plus dans cette maison qui avait été son bien.

N'importe qui eût souffert de cela, et quand la nouvelle chambre fut terminée et que le couple s'y transporta, la mère murmura à l'aveugle qui couchait près d'elle : « Je n'ai jamais vu faire tant de simagrées, il semble vraiment que l'honnête odeur des animaux devient du poison. Je jurerais qu'ils ont construit cette chambre afin de s'éloigner de nous et pour causer de leurs projets sans que nous puissions les entendre. Ils ne me disent jamais rien, les bêtes ne sont qu'un prétexte... C'est honteux que ton frère l'aime autant ! Ils ne se soucient ni de toi ni du gamin, ni même de moi, j'en suis sûre. »

La jeune fille ne soufflait mot et sa mère lui demanda : « N'ai-je pas raison ? »

L'aveugle hésita, puis répondit du fond de l'obscurité : « Ma mère, je voudrais vraiment te dire une chose, mais je n'ose pas, de peur de te chagriner. »

Et la mère s'écria : « Tu peux parler, mon enfant, j'ai l'habitude de la souffrance, il me semble ! »

D'une petite voix triste, la jeune fille poursuivit : « Que comptes-tu faire de moi, mère, aveugle comme je suis ? »

Très surprise, car elle n'avait jamais envisagé que sa fille pourrait vivre autrement que près d'elle, du moins pour le moment, la mère insista : « Explique-toi mieux.

— Je ne veux pas laisser croire que la femme de mon frère manque de bonté, répondit la jeune fille, non, elle n'est pas cruelle, mère, seulement elle se figure que tu me marieras bientôt. Je l'ai entendue demander à mon petit frère, l'autre jour, à qui l'on m'avait fiancée, et quand il a dit qu'on n'avait pris aucun engagement jusqu'ici, elle s'est écriée avec étonnement : « Une bien grande fille pour n'avoir pas encore de belle-mère !

— Mais tu es aveugle, mon enfant, dit la mère, il est donc difficile de te marier.

— Je le comprends bien », fit doucement l'infirme. Puis, au bout d'un moment, elle ajouta avec une voix qui semblait partir d'une bouche sèche, au souffle brûlant : « Mais tu sais que je parviens à faire pas mal de choses, un pauvre homme, ou un veuf, se contenterait peut-être de cela, s'il n'avait rien à payer pour moi ! Du moins, je serais chez moi, et, si tu disparaissais, j'aurais quelqu'un dont je pourrais m'occuper. Je ne crois pas, mère, que ma sœur tienne à me garder. »

La mère répondit avec violence : « Mon enfant, je ne veux pas que tu entres de la sorte dans une maison, pour boucher un trou. Nous sommes pauvres, c'est entendu, mais il y a de quoi te nourrir ici. Les veufs sont souvent les maris les plus durs et les plus remplis de convoitise, ma petite. Aussi, oublie tout cela, et endors-toi. Je suis encore solide et compte vivre longtemps ; ton frère n'a jamais été méchant pour toi, même dans son enfance.

— Il n'était pas marié à cette époque, mère », dit la jeune fille en soupirant. Puis elle garda le silence et parut s'assoupir.

Mais la mère ne parvenait pas à trouver le sommeil... Elle l'avait excellent et profond en général, cependant, ce soir-là, elle restait étendue à réfléchir, reprenait un à un les jours passés, et cherchait à vérifier l'exactitude des remarques de sa fille. Elle avait beau ne se souvenir d'aucun fait particulier, elle sentait le manque d'affection de sa belle-fille. Jamais la jeune femme n'avait montré la moindre chaleur de cœur à l'égard du cadet et encore moins de la sœur aveugle qui habitaient la maison de son mari. Et la mère eut cette amertume de plus à supporter.

## CHAPITRE XV

La mère ne cessait d'observer journellement ce qui se passait, afin de se rendre compte si sa fille s'était trompée. La jeune femme n'était ni impolie ni brusque dans ses propos, qui semblaient toujours pleins de courtoisie. Mais elle criblait l'infirme de coups d'épingle : elle remplissait insuffisamment le bol de nourriture de l'aveugle — du moins aux yeux de la mère — et un mets plus délicat ayant paru sur la table, sans que la jeune fille s'en doutât, sa belle-sœur ne lui en avait pas offert. Du reste, le fait serait passé inaperçu sans le regard aigu de la mère, car chacun s'occupait à satisfaire son appétit. La mère s'était écriée : « Ma fille, n'aimes-tu pas ces poumons de porc cuits dans la soupe, aujourd'hui ? » Et la jeune fille avait répondu avec étonnement, d'une voix douce : « Je ne savais pas qu'on en servait, je les aime bien. » Et la mère avait pris de la viande et du bouillon avec sa propre cuiller pour en verser dans le bol de sa fille. Elle le faisait ostensiblement pour être remarquée de sa bru qui observa d'un ton poli, en remuant à peine ses lèvres, trop épaisses malgré leur pâleur : « Je vous demande pardon, ma sœur, je croyais que vous étiez servie. » Mais la mère voyait bien qu'elle mentait.

Quelquefois aussi, lorsque la jeune femme cousait des souliers pour sa belle-sœur — car elle devait chausser toute la famille — elle le faisait à la hâte, y mettait une semelle trop mince et s'épargnait la peine de broder une fleur sur le dessus du pied. Quand la mère le remarqua, elle s'écria : « Vraiment, ma fille n'aura pas la plus simple fleur à ses souliers, quand vous en ajoutez sur tous les vôtres. »

La femme du fils ouvrit ses petits yeux noirs et ternes en disant : « J'en ferai, si vous le désirez, mère ; seulement je pensais que puisqu'elle ne distingue pas les couleurs et que j'ai tellement à coudre avec ce gamin qui m'en use une paire presque chaque mois, à courir s'amuser en ville... »

La jeune fille, assise au soleil sur le seuil de la porte, entendit ce dialogue et les plaintes de sa belle-sœur contre son second frère ; elle les interrompit assez vivement : « Mère, je n'ai aucun besoin de broderie ; ma sœur a raison, quel sens ont les fleurs pour les aveugles ? »

On n'avait cependant jamais l'air de se disputer. Ces menus faits ne ressemblaient pas à des querelles. Mais un jour où la mère tournait le coin de la maison pour aller jeter les restes dans le trou du cochon, son fils la rejoignit et lui dit :

« Mère, je ne veux pas forcer ma sœur à quitter la maison, ni lui reprocher rien de ce qu'elle a ici, seulement un homme doit penser aux siens. Elle est jeune, mère, elle a la vie devant elle. Devrai-je la nourrir jusqu'au bout ? Je n'ai vu nulle part dans les autres maisons un homme prendre sa sœur à sa charge, sinon chez les riches où l'on ne manque de rien. Le devoir d'un homme est de faire vivre ses parents, sa femme et ses enfants. Ma sœur est jeune, elle ne mourra sans doute pas avant moi, et ce sera un malheur pour elle si elle reste fille. Il vaut toujours mieux qu'une femme se marie. »

La mère regarda son fils. Elle l'accusa, le visage durci par la colère : « C'est ta femme qui t'a mis cette idée en tête, mon fils. Tu dors seul dans cette chambre avec elle ; vous causez ensemble ; la nuit, elle t'empoisonne par ses propos et te monte contre ton propre sang. Et toi, tu es comme tous les hommes : mou comme la vase d'un fossé, quand tu couches avec une femme. »

En proie à une grande amertume, la mère se détourna de son fils. Elle versa au porc sa ration et le regarda enfoncer son groin et boire goulûment. Mais elle ne le voyait pas en réalité, malgré le plaisir qu'elle prenait en général au bel appétit de ses bêtes. Elle répondit tristement : « Quel homme voudra de ta sœur ? Qui pouvons-nous espérer lui voir épouser, sinon un de ces êtres trop pauvres pour être capable de bonté, ou bien encore un veuf qui n'a pas de quoi s'offrir de nouveau une femme saine ? »

Le fils répondit très vite : « C'est à elle aussi que je songe ; vraiment je crois qu'il vaudrait mieux qu'elle ait un mari, même si l'on doit se contenter d'un homme médiocre, puisqu'elle est infirme ! »

Malgré tout, la mère s'obstina longtemps encore à ne pas chercher à marier sa fille. Elle se disait à elle-même et répétait à l'aveugle, à son plus jeune fils, à sa cousine, et à tous ceux qui voulaient l'entendre, qu'elle ne se sentait pas assez vieille pour renoncer à ses volontés et à sa place dans la maison. Elle était encore d'âge à donner des ordres à ses enfants, selon son bon plaisir. Aussi elle s'opposait à son fils et à sa bru et protégeait sa fille, veillant à ce qu'on ne lui causât aucun tort, et à ce qu'on ne la privât jamais de ce qu'avaient les autres.

La belle-fille s'enhardissait dans ses propos à mesure qu'elle se familiarisait et elle abandonnait toute courtoisie. Souvent, lorsqu'elle se savait écoutée, entourée des femmes qui travaillaient au soleil sur un seuil de porte ou se réunissaient entre elles, ce qui est leur grand plaisir, elle déclarait : « Que ferais-je, je me le demande, quand les les enfants viendront, si je couds pour tous les gens de la maison ! Ma mère vieillit et je sais que je dois la servir, mettre à sa disposition mes yeux, mes mains, mes pieds et tout ce qui peut lui être utile. On m'a enseigné cela et j'agis en conséquence. J'espère rester fidèle à mon devoir. Mais il y a là le plus jeune fils, un garçon qui a toujours faim et ne fait rien, et, pis encore, car lui du moins se mariera et ce sera au tour de sa femme de le vêtir et de le nourrir — il reste l'aveugle — je ne serais pas étonnée d'avoir à m'en occuper toute ma vie puisque sa mère refuse de la marier. »

Quand la jeune femme tenait ces propos, chacun dévisageait l'infirme, si elle était présente, à tel point qu'elle sentait les regards fixés sur elle et baissait la tête, honteuse de vivre en étant à charge. Parfois l'une ou l'autre prenaient la parole et disaient : « Il existe beaucoup d'aveugles et souvent les familles leur enseignent à dire la bonne aventure, ou bien elles ont un talent qui leur permet de gagner une petite pièce de temps en temps. Les aveugles possèdent un regard intérieur et ils voient ce qui nous demeure caché. Leur cécité devient une force qui les fait craindre. On pourrait apprendre les présages à cette jeune fille ou une chose de ce genre. » On disait aussi : « Il y a des maisons pauvres avec un fils et pas d'argent pour le marier. On se contenterait d'une idiote, d'une aveugle, d'une boiteuse ou d'une muette ; ce serait mieux que rien pour le jeune homme, à condition de ne pas débourser. »

La femme du fils disait alors d'un ton chagrin : « Je voudrais bien connaître quelqu'un de ce genre. Si jamais vous en entendez parler, voisine, je considérerais comme un effet de votre bonté de m'en faire part. »

En bonnes âmes elles le promirent à la jeune femme, avouant qu'en des temps si durs, où l'argent était rare, il devenait pénible de nourrir une bouche de plus, car la belle-sœur infirme aurait dû habiter ailleurs.

Un jour la commère du village, la veuve, vint trouver la mère et lui dit : « Maîtresse, si vous vouliez marier votre fille aveugle, je connais une famille qui habite dans la montagne. Ces gens doivent avoir un fils de dix-sept ans. Pendant une famine, ils sont venus d'une province du nord et se sont établis dans un terrain vague très sauvage, un peu au-dessus de notre village, qui, lui, se trouve au pied de la montagne. Leur frère est venu les rejoindre et habiter avec eux. Le pays est pauvre, les gens sont pauvres, mais vous, maîtresse, vous avez une fille aveugle. Si vous voulez me payer mon voyage, j'irai m'informer à votre place. En vérité, il y a longtemps que j'ai envie d'aller chez moi revoir la maison paternelle, mais je n'ose pas demander à mon beau-frère la somme nécessaire. Il est bien dur d'être veuve dans la demeure d'autrui ! »

La mère commença par refuser d'écouter et cria très fort : « Je suis capable d'entretenir ma fille aveugle, maîtresse. »

Mais, lorsqu'elle répéta cette conversation à ses cousins, l'homme demeura grave et finit par dire : « Cela serait possible si vous deviez vivre éternellement, ma sœur, mais quand vous serez morte, et nous aussi peut-être, ou bien trop vieux pour être maîtres chez nos enfants autrement que de nom, qui donc prendra soin de votre fille ? Les parents doivent penser d'abord à leurs propres enfants ; songez à ce qui pourrait arriver si de mauvaises années survenaient, nous disparus. »

La mère garda le silence.

Mais elle se rendit bientôt compte qu'elle n'était pas destinée à vivre éternellement. Sa vie pouvait se trouver menacée à tout instant, d'autant plus qu'elle n'avait jamais retrouvé sa vigueur depuis la nuit secrète.

Cette année-là, la dysenterie était dans l'air et s'ampara d'elle. Elle avait toujours joui de ce qu'elle mangeait et se servait abondamment de tout ce qui se présentait. Mais cet été la chaleur devint exceptionnelle et les mouches s'abattirent comme un véritable fléau, en si grand nombre que le vent les poussait dans la nourriture ; elles s'y mêlaient quoi qu'on fît. A la fin, la mère s'écria qu'il n'y avait qu'à les laisser tranquilles. Cela devenait inutile de les tuer, on perdait son temps, car elles revenaient ensuite en plus grand nombre. Jamais aussi il n'y avait eu pareille abondance de gros melons d'eau. On était en pleine saison et les fruits, fendus, montraient leur chair rouge foncé ou jaune clair suivant leur espèce.

La mère aimait énormément ces fruits et elle mangea de bon cœur ceux qui ne se vendaient pas ou qui étaient échaudés par le soleil. Elle en absorbait tant qu'elle pouvait, puis recommençait pour ne pas les voir se perdre. Peut-être ces fruits pris en quantité exagérée en furent-ils la cause, ou quelque vent nuisible, un mauvais sort — bien qu'elle ne connût personne qui pût la détester sérieusement, si ce n'est la petite déesse qui avait deviné son péché — en tout cas elle attrapa la dysenterie qui lui arracha l'intérieur et la garda couchée durant des jours, purgée et vomissant même la gorgée de thé qu'elle prenait pour se soutenir.

Pendant qu'elle était ainsi torturée et affaiblie, sa belle-fille s'occupa très bien d'elle, apportant tout son savoir aux soins qu'elle lui donnait, et elle ne négligea pas le plus léger devoir envers la mère de son mari. L'aveugle s'efforçait piteusement de rendre un service à sa mère, mais elle était trop lente et ne se rendait pas compte à temps de ce qui était nécessaire. Souvent sa belle-sœur la repoussait en disant :

« Asseyez-vous, bonne fille, restez hors de mon chemin, je vous promets que c'est la meilleure manière de m'aider ! »

Et, dans sa faiblesse, la mère arrivait malgré elle à s'appuyer sur cette jeune femme prompte et soigneuse. Elle se sentait trop lasse pour défendre sa fille aveugle ; son second fils ne venait que rarement prendre de ses nouvelles et s'éloignait aussitôt, voyant que sa mère manquait des forces nécessaires pour intercéder en sa faveur auprès du frère aîné. Dans cet état de débilité, la mère se trouvait soutenue par la présence si agile et si attentionnée de sa bru, autour de son lit. Lorsque, enfin, la dysenterie la quitta pour passer à une autre personne à qui elle était destinée, la mère se leva et s'appuya fortement sur sa belle-fille. Elle avait beau ne lui porter aucune affection, la jeune femme lui était nécessaire.

La mère se remit très lentement. Du reste elle ne

retrouva jamais son ancienne vigueur. Il lui était impossible de manger les choux rudes qu'elle affectionnait, ni les melons d'aucune espèce, ni même ces pistaches de terre qu'elle aimait à mâcher crues, les ramassant sur le sol lorsqu'on les arrachait. Elle devait surveiller sa nourriture à présent et chercher ce qui convenait à ses intestins. Quand elle s'irritait de ces minuties et s'écriait qu'elle mangerait ce qui lui plairait et que son ventre devrait s'en accommoder, la dysenterie reprenait. Dès qu'elle travaillait un peu trop ou s'asseyait dans un courant d'air frais, la maladie la guettait et la rendait de nouveau impotente pendant un certain temps.

Dans l'incapacité où elle se trouvait, elle comprit qu'il lui faudrait marier sa fille dans une maison où elle serait chez elle, car ici on ne la désirait pas. Lorsque la mère devenait trop faible pour protester en sa faveur, elle constatait le malaise de l'aveugle, qui se sentait de trop, et, un jour que sa mère était seule, la jeune fille lui dit : « Mère, je ne peux plus rester ici, chez mon frère. Oh mère ! je crois que je préférerais être mariée n'importe où, pourvu qu'on veuille de moi. »

La mère finit par accepter cette idée. Elle réconforta sa fille par quelques mots, puis, un jour d'hiver, cette même année, quand elle eut repris quelques forces, car elle se portait toujours mieux par le froid que par la chaleur, elle alla voir la commère du village qu'elle trouva assise sur son seuil de porte, encore occupée à broder des fleurs sur un bout d'étoffe, mais son coton était très gros à présent et le bord des pétales prêtait à rire. La veuve n'y voyait pas comme autrefois, bien qu'elle se refusât de l'avouer. La mère s'approcha d'elle et lui confia d'un ton las : « Ce que vous m'avez dit était vrai. Je vois que ma fille serait mieux mariée, mettons que ce soit à celui dont vous parliez, car je me sens trop épuisée pour chercher ailleurs. Je suis toujours si fatiguée, d'une manière ou de l'autre, depuis que j'ai été prise de cette dysenterie, il y a un an ou deux. »

La vieille commère, toute réjouie d'avoir quelque chose de nouveau à faire qui ne lui coûterait rien, loua une brouette et parcourut les dix milles environ qui la séparaient de la vallée où avait habité son père. Elle se fit conduire ensuite au village et y passa deux ou trois jours. Le soir de son retour, elle alla chez la mère, l'appela seule au-dehors, et dit en chuchotant : « Tout s'est fort bien passé, maîtresse, dans un mois cela peut être fait. Je me sens lasse, moi aussi, mais je pense que je vous ai rendu service et que nous sommes de bonnes amies à présent. »

La mère tira de son sein une pièce d'argent qu'elle avait gardée à cette intention et pria la commère du village de l'accepter. Celle-ci repoussa la main qui la lui tendait, jura qu'elle ne la voulait pas, que c'était inutile entre amies, protesta tant et plus, mais finit par la prendre.

Lorsque tout fut terminé et que la mère chercha à se persuader que c'était bien ainsi, elle fit part de sa décision à sa belle-fille qui lui laissa voir sa satisfaction, mais en ayant soin d'ajouter :

« Il ne fallait pas vous presser, mère, je n'en veux nullement à ma belle-sœur, si ce n'était que de moi, elle aurait bien pu séjourner ici un ou deux ans de plus, ou même sa vie entière, seulement notre pauvreté nous oblige à compter les bouches que nous nourrissons. »

Elle montra plus de bienveillance après cela et s'offrit d'elle-même à coudre les vêtements neufs de la jeune fille, trois en tout : une veste et des pantalons bleu foncé, puis les pantalons rouges que la plus pauvre des mariées doit porter le jour de ses noces. Elle y ajouta une ou deux paires de souliers sur lesquels elle broda une petite fleur et une feuille en rouge. Mais ils ne fêtèrent pas le mariage et ne firent aucune cérémonie puisqu'on donnait la jeune fille pour rien sans même attendre de cadeaux, car le marié ne faisait point une belle affaire en l'épousant. Quant à l'aveugle, elle ne prononça pas une parole de toute la journée. Elle écouta en silence, sans répondre, ce que sa mère avait à lui dire, mais une nuit elle avança la main pour sentir le visage de sa mère à côté du sien et murmura tout à coup : « Mère, est-ce que ce sera assez près pour que tu viennes quelquefois voir ce que je deviens ? je suis trop aveugle pour faire ce long trajet sur une route inconnue qui passe par des monts et des vallées. »

Alors la mère, à son tour, étendit la main, et sentant trembler sa fille, elle pleura en secret et dans l'ombre sécha ses larmes au couvre-pied en répétant plusieurs fois : « J'irai, ma fille, bien sûr, tu me raconteras tout et si on te traite mal j'y veillerai énergiquement ; j'empêcherai qu'on te brutalise. Puis elle ajouta avec une grande douceur : Mais tu es restée éveillée toute cette nuit, mon enfant ?

— Oui, répondit la jeune fille, et les autres nuits aussi.

— N'aie pas peur, chère petite, fit tendrement la mère. Tu es l'aveugle la plus vive et la plus adroite que je connaisse. Ils savent que tu n'y vois pas et ne peuvent t'en blâmer ni prétendre que nous le leur avons caché. »

La jeune fille finit par s'endormir d'un sommeil léger. Longtemps après sa mère demeura éveillée, en proie à de lourds remords, car elle sentait qu'une faute commise par elle retombait en punition sur sa fille. Et sans y rien comprendre, la mère souhaitait s'être mieux conduite. Elle regrettait aussi de ne pas avoir essayé de trouver un endroit plus proche pour y marier sa fille, un village où elle aurait pu se rendre presque chaque mois, et qui sait si moyennant quelque argent, un pauvre homme ne se serait pas déplacé pour vivre au hameau ? En songeant à cela, la mère gémit au-dedans d'elle-même, elle se demandait si son fils et sa bru auraient consenti à se priver pour cela d'une somme minime, car ils gardaient les recettes à présent. Elle se dit avec une grande tristesse : « Cependant je ne puis espérer qu'elle ne sera jamais battue. Il y a peu de maisons comme la nôtre, dans lesquelles la nouvelle venue ne reçoit pas de coups de son mari ou de sa belle-mère. Si ma fille aveugle était battue sous mes yeux, ou si elle se trouvait assez près de moi pour que je l'entende dire et qu'elle puisse venir me l'annoncer et me l'avouer elle-même, cela me déchirerait l'âme et me ferait trop souffrir ; je ne saurais pas le supporter, me voyant impuissante à la secourir une fois qu'elle serait mariée. Mieux vaut donc qu'elle s'éloigne pour que je ne sache rien et que cette douleur me soit épargnée. Dans l'ignorance je pourrai du moins espérer. »

La mère resta encore un moment immobile, sentant le poids de sa vie peser lourdement sur elle, puis une idée lui vint : elle donnerait à sa fille quelques pièces d'argent comme elle-même en avait reçu de sa mère au moment de la quitter. Dans l'obscurité, avant l'aube, la mère se leva et, avec beaucoup de précautions, de crainte d'agiter ou d'effrayer le bétail et les volailles, elle se dirigea vers le trou creusé dans le sol, écarta la terre et en retira le bout de chiffon dans lequel elle gardait sa petite réserve. Elle le défit, choisit cinq pièces d'argent qu'elle cacha dans son sein et de nouveau recouvrit le trou. Un peu de réconfort lui vint de sentir cet argent contre elle, car elle se disait : « Peu de jeunes filles, sortant d'une maison pauvre, emportent cette provision personnelle. La mienne aura au moins cela. »

Et, en se cramponnant à cette faible consolation, elle arriva enfin à s'endormir.

Les jours passèrent ainsi, dépourvus de joie. La mère ne prenait même pas plaisir aux visites de son second fils et se souciait peu de le voir aller et venir : elle remarquait simplement qu'il souriait et paraissait bien se porter, occupé par une affaire qu'elle ignorait. L'époque du départ arriva et la mère attendait avec un cœur bien lourd celui qui viendrait chercher l'aveugle. L'esprit tendu, elle s'efforçait de comprendre la nature de l'homme à qui elle confierait sa fille.

Il vint un jour, au début du printemps, avant le plein épanouissement de l'année ; la saison n'était marquée que par les quelques herbes vivaces que les enfants du village arrachent pour les manger, par la teinte verdâtre qui colore les tiges de saule, et les bourgeons bruns à peine gonflés des pêchers. La terre gardait l'apparence stérile de l'hiver ; le blé ne poussait pas encore et l'on n'en voyait que quelques petites pointes parmi les mottes du sol. Le vent était froid.

Il vint en ce jour un vieillard monté sur un âne gris, un vieux manteau sale et déchiré plié sous lui sur le dos de la bête, en guise de selle. Il s'approcha de la maison de la mère et se nomma. Elle sentit son cœur s'arrêter dans sa poitrine, car l'expression du vieillard lui déplut. Il grimaça un sourire et s'efforça de donner un pli aimable à sa figure, mais il n'y avait aucune bonté dans ce visage aigu de vieux renard, aux yeux perçants enfoncés entre des rides profondes, avec ses quelques poils blancs entourant une bouche sans lèvres dont les coins s'abaissaient trop en ce jour pour donner une impression de sincérité. Il portait des vêtements presque en loques, ni propres, ni rapiécés, et, lorsqu'il descendit de son âne, ses manières manquèrent de la courtoisie la plus élémentaire, celle qu'on s'attend à voir aussi bien chez l'homme instruit que chez l'ignorant. Il traversa l'aire en boîtant, une jambe plus courte que l'autre, ses vieux habits enroulés à la taille, et il dit d'un ton rude :

« Je viens chercher l'aveugle, où est-elle ? »

Et la mère demanda, car elle prit subitement l'homme en haine : « Quelle preuve ai-je que vous êtes bien celui qui devez l'emmener ? »

Le vieillard ricana de nouveau et déclara : « Je connais cette grosse femme qui est venue nous dire que nous pourrions avoir la fille pour rien. On la destine au fils de mon frère. »

Alors la mère lui dit : « Attendez que j'appelle cette femme. »

Et elle lui envoya son second fils qui, ce jour-là, flânait autour de la maison. La commère du village accourut aussi vite que ses vieilles jambes le lui permettaient et elle regarda l'homme fixement, éclata de rire et s'écria :

« Oui, c'est l'oncle du garçon qu'on veut marier. Comment ça va-t-il, maître ? Avez-vous mangé aujourd'hui ?

— Oui, répondit le vieillard en montrant toutes ses gencives édentées dans une grimace joyeuse, mais pas trop bien, je vous le promets. »

La mère ne cessait de le regarder bien en face, elle finit par dire d'un ton brusque à la commère du village : « Je n'aime pas l'aspect que cela prend. J'espérais mieux pour ma fille. »

Et la femme lui répondit très fort, en riant : « Mais maîtresse, ce n'est pas lui le marié — son neveu est le garçon le plus doux et le plus inoffensif qui soit. »

La cousine vint à son tour ; le fils aîné, sa femme, le cousin et plusieurs habitants du hameau la suivirent ; tous se tenaient debout et dévisageaient le vieillard. Personne ne lui trouvait l'air plaisant ni aimable d'aucune façon. Cependant la promesse était donnée et quelques-uns observèrent : « Il faut vous rappeler, maîtresse, que votre fille est aveugle. »

La belle-fille ajouta : « La chose est à présent décidée, promise, mère, et il est difficile de refuser, car cela causerait des ennuis à tous. » Et son mari l'écouta et garda le silence.

La mère dirigea alors ses yeux suppliants vers son cousin, qui détourna les siens en se grattant la tête, perplexe. C'était un homme simple et bon, et le vieillard ne lui inspirait pas confiance, à lui non plus ; cependant il est difficile de savoir quelquefois si pauvreté et méchanceté se confondent ; peut-être ses vêtements en loques lui donnaient-ils cette vilaine mine ? puis comment dire « non », puisque tout était conclu ? Aussi, ne sachant que répondre, le cousin se tut, et tourna la tête de côté en ramassant une paille qu'il se mit à mâchonner.

La commère du village, sentant son honneur en jeu, continuait à répéter : « Mais ce n'est pas le mari, maîtresse. » Et en fin de compte elle s'écria, car un recul à l'heure actuelle l'eût couverte de honte : « Votre neveu est aussi doux qu'un bébé, n'est-ce pas, mon ami ? »

Le vieillard grimaça, acquiesça de la tête et dit en riant d'un rire qui faisait siffler ses paroles : « Oh oui, maîtresse, doux comme un nouveau-né ! » A la fin il ajouta, impatienté : « Il faut que je parte si je dois la ramener ce soir. »

Ne sachant quel autre parti prendre, la mère fit monter l'aveugle sur l'âne. La jeune fille avait revêtu ses vêtements neufs et la mère lui glissa le petit paquet de pièces dans la main en lui disant très vite à l'oreille : « Ceci est pour toi seule, mon enfant, ne te le laisse pas prendre. »

Quand le vieillard lança un coup de pied dans les pattes de l'âne afin de le faire avancer, la mère s'écria, prise d'une angoisse subite : « J'irai là-bas, ma fille, avant de longs mois, je verrai comment tu es traitée. Enferme tout en ton cœur, et tu me le raconteras, je n'aurais pas peur de te ramener à la maison si quelque chose va mal. »

L'aveugle répondit, les mots passant sur ses lèvres sèches et tremblantes : « Oui, mère, cette idée me réconforte. »

Mais la mère ne pouvait pas se séparer de son enfant ; elle cherchait désespérément un motif, une phrase, capable de la retenir un peu plus, et, accrochée à la jeune fille, elle cria au vieillard : « Ma fille ne peut pas alimenter le feu — cela lui est défendu, et lui fait mal aux yeux... la fumée... »

Le vieillard se retourna et la dévisagea ; lorsqu'il eut compris, il ricana et dit : « C'est bon, on y verra ; je le leur dirai », et il donna un nouveau coup à la bête, puis marcha à ses côtés.

Ainsi la jeune fille s'en alla, le signe de la cécité dans sa main et son petit rouleau de vêtements attaché derrière elle, sur le dos de l'âne. Sa mère, debout, la regardait partir, le cœur souffrant d'une douleur impossible à concevoir ; les pleurs coulaient de ses yeux et cependant elle ne voyait pas de quelle autre manière elle aurait pu agir. Elle demeura immobile jusqu'à ce que la montagne s'élevât entre sa fille et elle, la cachant à ses yeux.

## CHAPITRE XVI

La mère parviendrait-elle à remplir suffisamment ses journées pour calmer ses inquiétudes et oublier le vide de cette place où s'asseyait l'aveugle ? La maison était silencieuse, et silencieuse la rue où l'on n'entendait plus résonner le son plaintif et clair de la petite clochette que la jeune fille agitait chaque fois qu'elle sortait. La mère ne put supporter cela. Elle retourna aux champs malgré son fils, qui protesta lorsqu'elle prit son sarcloir. « Mère, lui dit-il, tu n'as aucun besoin de travailler, cela me fait honte de te voir bêcher aux yeux de tous, à ton âge. »

Mais elle répondit avec sa violence ancienne : « Je ne suis pas si vieille ; laisse-moi me dépenser, cela me soulage. Ne comprends-tu pas que j'en ai besoin ? »

Alors l'homme, obstiné, insista : « Tu te chagrines inutilement, ma mère, ce n'est pas la peine de gémir à l'avance sur des maux qui n'arriveront peut-être jamais. »

Mais la mère dit avec une sorte de lourde apathie qui ne semblait plus jamais la quitter : « Tu n'y comprends rien. Toi qui es jeune, tu n'y comprends rien du tout ! »

Le fils regarda sa mère d'un air interloqué, mais elle prit son sarcloir sans s'expliquer davantage, et s'achemina en silence vers les champs.

Cependant elle ne pouvait plus peiner dur ; la sueur l'inondait aussitôt et elle se refroidissait dès que le vent, même tiède, soufflait sur elle. Bientôt elle fut reprise par la dysenterie et, une fois guérie, elle dut se résoudre à l'inaction et à rester assise, désœuvrée, sur le pas de sa porte. Aucune occupation n'exigeait sa présence dans la maison, sa bru se chargeait de tout avec soin.

Du reste, la jeune femme se tirait fort bien du ménage, sa belle-mère, malgré elle, était forcée de le reconnaître ; il n'y avait à lui reprocher que sa stérilité. La mère, oisive, fixait continuellement des yeux le seuil où autrefois ses enfants se roulaient dans leurs ébats. Elle revivait les heures passées : elle se voyait à cette même place, jeune, pleine de vie et d'activité ; elle avait son mari, ses petits ; elle était la jeune femme et une autre, la vieille mère. Ensuite son homme l'avait quittée sans jamais lui donner de nouvelles — elle frémit à ce souvenir et en détourna ses pensées pour les ramener à la solitude actuelle : son fils aîné était sans cesse au-dehors, à travailler la terre ou à discuter au sujet des récoltes avec l'agent — un nouveau venu, cousin du propriétaire, un petit gringalet, prétendait-on — car elle ne le regardait jamais. — Sa fille aveugle était partie, son second fils habitait la ville et se faisait rare.

Mais au milieu de son inaction c'est à lui qu'elle songeait le plus ; il restait son préféré. Dans le vide de sa vie, ses apparitions ne lui apportaient que de la joie. Elle se levait à sa vue, sortait de sa morne torpeur et souriait à la jolie figure de son fils. Il était le plus beau de ses enfants et ressemblait à son père autant qu'un jeune coq peut être l'image de celui qui l'a engendré. Il ne craignait plus son frère aîné et se sentait à l'aise, car il avait du travail qui lui rapportait un salaire.

Jamais il n'expliqua en quoi consistaient ses occupations ; parfois il se trouvait à court et à d'autres moments on le sentait très fortuné, à en juger d'après ses beaux vêtements, car il ne montrait pas à son aîné ce qu'il gagnait. Parfois il avait un peu de liberté et semblait en proie à une sorte d'exaltation. Il venait et glissait alors en secret une pièce dans la main de sa mère, en lui disant : « Prends, mère, et sers-t'en pour toi. »

Elle acceptait et complimentait le jeune homme. Elle l'adorait. L'aîné n'eût point songé à lui faire le moindre cadeau de ce genre. Depuis qu'il était le maître, il gardait l'argent pour lui. Sa mère se trouvait admirablement nourrie et elle en jouissait, mangeant de bon cœur ce qu'elle pouvait. Sa mise aussi semblait mieux soignée qu'autrefois, grâce à sa belle-fille qui l'habillait entièrement et qui lui avait préparé jusqu'à sa toilette d'ensevelissement. On lui donnait ce qu'elle voulait : une pipe pour la réconforter avec du bon tabac effiloché ou une gorgée de vin blond réchauffé, mais l'idée de lui remettre une petite pièce en disant : « Achetez ce qu'il vous plaira », ne leur serait pas venue, et si elle avait réclamé, sûrement son fils et sa bru se seraient regardés et l'un d'eux eût demandé : « Mais que pourriez-vous désirer ? On vous procure tout ce qu'il vous faut. » Aussi témoignait-elle plus de tendresse au cadet à cause de sa petite offrande, qu'aux deux autres qui lui donnaient davantage. Elle cachait la pièce dans son sein, et, la nuit venue, elle se levait et l'enfouissait dans le trou du sol.

Seulement les visites du jeune garçon étaient très rares ; aussi les deux femmes, la mère et la bru, passaient-elles leur temps assises sur l'aire déserte, et la maison entière paraissait vide à la mère. Elle soupirait, fumait sa pipe, et il ne lui restait en ces jours qu'à se remémorer sa vie, du moins presque toute sa vie, car elle préférait ne pas reporter sa pensée sur l'incident qui lui rappelait la cécité de sa fille ; ces deux choses n'étaient-elles pas liées ensemble par la main des dieux ? Elle aurait pu aller chercher dans un temple une consolation quelconque, mais il était trop tard pour implorer son pardon, aussi elle laissait faire, soupirait, et de temps à autre parlait de sa fille aveugle avec tristesse.

Sa bru dans ces cas-là répondait brusquement : « Cela va bien, sans doute. Quelle chance pour nous tous que vous soyez parvenue à trouver quelqu'un qui ait consenti à l'accepter et à la donner à son fils !

— C'est une fille adroite, reprit vivement la mère. Vous n'avez jamais dû vous en rendre compte, je le sais, puisque vous ne lui permettiez pas de continuer à travailler selon ses moyens après votre arrivée.

— C'est possible, dit la belle-fille en examinant de plus près l'étoffe qu'elle cousait, mais j'ai l'habitude de faire mon ouvrage et de terminer moi-même ce que j'ai entrepris. Une aveugle s'embarrasse tellement de tout ! »

La mère soupira de nouveau, les yeux posés sur le seuil nu. « Je voudrais que vous conceviez, ma fille. Il devrait y avoir deux ou trois enfants dans la maison. Je ne suis pas accoutumée à une demeure aussi vide. Si vous ne donnez jamais naissance à un bébé, je serais heureuse que du moins mon second fils se marie, mais il refuse, je me demande pourquoi. »

La mère touchait là un point douloureux. La jeune femme se désolait de n'avoir jamais eu le moindre espoir d'être enceinte après cinq ans de mariage. Elle avait beau dire des prières en secret dans un temple et faire tout le possible, son corps continuait à rester stérile. Mais elle était trop fière pour laisser paraître son chagrin, et elle répondit calmement : « J'aurai des fils en temps voulu, sans aucun doute.

— Oui, mais il est déjà grand temps ! s'écria la mère avec dépit. Je n'ai jamais entendu parler d'une femme de notre hameau qui n'enfantât pas quand elle avait un mari. Nos hommes deviennent pères dès qu'ils prennent une épouse et nos femmes sont toujours fertiles — bonne semence, bon sol. Vous devez avoir quelque mal caché qui vous rend stérile et anormale. Je vous ai fait ces vêtements bien amples et larges, mais à quoi bon ! »

La mère se plaignit à sa cousine ; elle se pencha contre son oreille pour lui murmurer : « Je sais bien ce qui en est cause, ma bru n'a pas la moindre ardeur. C'est un être pâle et jaune ; pour elle, un jour ressemble à l'autre, jamais un chaud transport venu du dedans ne monte en elle. Toute la bonne chance que vous avez pu passer dans ses vêtements de noce en les taillant n'a pas réussi à combattre sa froideur. »

La cousine hocha la tête et répondit en riant : « Il est vrai que les femmes trop pâles et qui manquent de sang sont lentes à concevoir. » Puis ses petits yeux animés prirent une expression significative et, avec un nouveau rire, elle poursuivit : « Mais toutes les femmes ne sont pas en proie à des feux aussi violents que les vôtres, du temps de votre jeunesse, ma bonne sœur, et ce n'est pas toujours une chose excellente chez une mère, vous le savez bien. »

Alors la mère s'écria vivement : « Oh oui ! je le sais ! », puis elle garda un instant le silence avant d'ajouter, à contrecœur : « Ma bru est certainement soigneuse et propre, un peu trop même, car je vous assure qu'elle gaspille de la nourriture, à force de gratter le pot, de laver la jarre d'huile et tout le reste. Elle se débarbouille aussi, de temps à autre ; c'est peut-être ce qui la rend stérile — trop laver nuit. »

La mère évita de remettre le sujet sur les natures ardentes ; elle craignait de se voir rappeler sa faute ancienne. Cependant on ne pouvait rencontrer meilleure créature que la cousine : jamais il n'y avait eu le moindre changement dans leurs rapports, et si le cousin était au courant du secret, lui non plus n'en avait rien laissé paraître. La mère, du reste, l'eût sans doute oublié elle aussi tant les jours de sa chair lui semblaient lointains. Mais la cécité de sa fille, le manque d'héritier chez son fils le lui rappelaient, car elle craignait avoir commis un véritable péché et en être punie par ces deux malheurs.

Sa vie était ainsi faite : sa fille aveugle partie, pas d'enfants autour d'elle ; il ne restait que le bétail et le chien, qu'elle n'osait même pas nourrir.

Mais les querelles de ses fils s'espaçaient, c'était le seul bon côté de l'existence actuelle. L'aîné se sentait satisfait d'être le maître dans la demeure et le cadet avait trouvé un métier. Lorsqu'il venait, prêt à repartir de nouveau, l'aîné se borna à remarquer d'un air de léger dédain : « Je me demande ce que mon frère a entrepris et où il prend les beaux vêtements qu'il porte ; moi je m'éreinte au travail et je suis incapable de m'en payer d'aussi élégants. Il doit avoir de l'argent. J'espère qu'il ne fait pas partie d'une bande de voleurs en ville ou quelque chose de ce genre qui nous amènerait des ennuis s'il se faisait pincer. »

Comme de coutume, la mère s'élança bravement à la défense de son petit : « Un bon frère, mon fils, s'écria-t-elle. Tu devrais te réjouir et le féliciter d'être parti, d'avoir su se trouver un emploi au lieu de rester ici, et de partager les terres avec toi. »

Et l'aîné, méprisant, répondit : « Oh oui ! à condition d'éviter le travail des champs, tout lui est bon ! »

La belle-fille se taisait. Elle se sentait trop satisfaite d'avoir la maison à elle seule, à présent, pour se soucier de ce que faisait son beau-frère, et elle était loin de se plaindre de ce qu'il achetât ses vêtements au-dehors au lieu de les lui donner à coudre.

Le temps passait. Le printemps disparut à son tour, sans que la mère parvînt à oublier l'aveugle. Un après-midi, qu'elle énumérait sur ses doigts les jours écoulés depuis que la montagne lui avait caché sa fille, elle compta douze fois tous les doigts de ses mains, mais en perdit le nombre et dit tristement : « Il faut que j'aille la voir. J'ai laissé peser sur moi cette lourde torpeur, mais j'aurais dû partir plus tôt. Si elle avait été une fille normale, elle serait revenue déjà faire la visite habituelle à son ancienne demeure, comme les autres jeunes femmes. J'aurais pu lui demander comment elle allait, toucher ses mains, ses bras, ses joues, et voir la couleur de son visage. »

La mère, assise, contemplait les montagnes qui l'environnaient et elle s'aperçut que l'été s'épanouissait ; les flancs des monts avaient verdi et les céréales s'élevaient, hautes, dans les champs. Elle secoua sa lassitude dont elle n'arrivait pas à se défaire malgré son inaction, et se décida : « Il faut que j'aille voir ma fille, se dit-elle. Je suis inutile aux champs et ne fais rien ici. J'irai tout de suite, avant les grandes chaleurs, de crainte d'être reprise de la dysenterie. Je me mettrai en route demain puisqu'il n'y a pas le moindre signe de nuages dans le ciel pur — ce ciel bleu ! » — Elle leva les yeux et, brusquement, de même que ses anciens souvenirs avaient coutume de reparaître, la teinte du ciel lui rappela tout à coup cette roble bleue que son mari avait achetée autrefois et avec laquelle il était parti. Elle soupira et se dit avec un reste d'angoisse : « C'est pour un jour semblable qu'il l'a acquise et que nous nous sommes querellés ; le temps était aussi limpide qu'aujourd'hui, car je me souviens que sa robe avait la couleur du ciel de ce matin-là. » Elle soupira et se leva pour chasser ses pensées. Lorsque son fils aîné rentra, elle lui dit, très agitée :

« Je veux savoir ce qui se passe dans la maison qu'habite ta sœur depuis son mariage ; j'irai la voir demain puisqu'elle ne peut pas venir à moi. »

Le fils répondit d'un air inquiet :

« Mère, il m'est impossible de t'accompagner en ce moment-ci ; j'ai du travail à faire demain. Patiente jusqu'à la fin des récoltes. Quand le grain sera battu et mesuré, j'aurai un peu de temps de libre. »

Mais tout à coup la mère se sentit incapable

d'attendre. Lorsqu'elle voulait agir selon une décision qu'elle avait prise, il lui restait encore beaucoup de forces. Lasse de son oisiveté et de son inertie, elle déclara : « Non, j'irai demain. »

Son fils, ennuyé, comme il l'était chaque fois qu'un fait inusité se présentait trop brusquement à lui et qu'il n'avait pas le loisir d'y réfléchir, insista : « Mais, mère, comment iras-tu ?

— Je monterai l'âne du cousin s'il veut bien me le prêter, et tu demanderas à un des gamins là-bas d'aller me chercher ton frère pour qu'il se tienne à côté de moi et conduise la bête. Nous ne risquerons rien tous les deux. Je n'ai pas entendu parler de brigands dans les environs, ces temps-ci, en dehors de cette nouvelle sorte de gens en ville qu'on appelle communistes, mais on prétend qu'ils n'en veulent pas aux pauvres. »

Le fils céda à la longue, mais il se fit prier et attendit que sa femme eût déclaré avec calme : « En réalité, je n'y vois guère de danger, si ton frère l'accompagne. »

Ils laissèrent donc leur mère agir à sa guise et l'un des enfants du cousin fut envoyé en ville à la recherche du cadet. Il reparut les yeux écarquillés et dit à la mère :

« Mon cousin, votre plus jeune fils viendra, ma tante. »

Puis le gamin s'interrompit, réfléchit un moment, tortilla le bouton de sa veste et ajouta : « Je vous assure qu'il habite dans un drôle d'endroit, retiré et bien difficile à découvrir. Il loge au-dessus d'un magasin dans une longue pièce remplie de lits, une vingtaine au moins, et la chambre est pleine de livres et de papiers. J'ignorais que mon cousin savait lire, ma tante, mais d'après ce que j'ai vu il doit être très instruit, et il ne travaille pas dans le magasin.

— Il ne sait pas lire, répondit la mère très étonnée. Il ne m'a jamais dit qu'il gagnait sa vie avec des livres. C'est une drôle de chose, il faudra qu'il me l'explique. »

Le lendemain, quand elle fut installée sur l'âne et qu'elle cheminait avec son fils le long des vallées, elle profita de ce tête-à-tête pour s'informer : « Quels sont ces livres et ces papiers que le gamin de la cousine a aperçus dans la chambre que vous habitez tous ? Tu ne m'as jamais dit que tu avais appris à lire, mon fils, ni que tu en faisais ton gagne-pain ? »

Le jeune homme chantait en marchant. Il avait une jolie voix et aimait à s'en servir ; il interrompit sa chanson pour répondre : « Oui, je me suis un peu instruit. » Et, quand elle insista, il ajouta évasivement : « Mère, ne m'interroge pas à présent, tu le sauras plus tard, quand l'heure sonnera. Ce sera un grand jour, mère. Je chantais tout à l'heure le chant que nous entonnons ensemble dans la pièce où je travaille. Un jour la délivrance viendra. Il n'y aura plus ni riches, ni pauvres, nous serons tous semblables. »

Ces paroles étaient les plus bizarres que la mère eût jamais entendu prononcer. Elle savait que le ciel ordonne qui sera riche ou pauvre, et que les hommes n'ont rien à dire ; ils doivent accepter leur destin et le supporter. Elle demanda, avec un grand effroi : « J'espère que tu n'es pas en mauvaise compagnie, mon fils ; avec des voleurs ou des gens de la sorte ! Il me semble écouter des phrases de brigands. Les moyens qu'ils emploient sont les seuls qui puissent enrichir les pauvres, et c'est dangereux, on risque sa vie si l'on vous prend sur le fait. »

Le jeune homme s'indigna de ces propos : « Tu ne peux rien y comprendre, dit-il. J'ai juré le silence. Plus tard, tu verras. Je ne t'oublierai pas ce jour-là. Mais toi seule. Je ne partagerai point avec ceux qui se sont gardés de partager avec moi. »

Il mit une telle vigueur dans ces derniers mots que la mère comprit quel ressentiment il nourrissait contre son frère et évita de répondre tout de suite de crainte d'attiser sa colère.

Mais elle poursuivait son idée. Assise sur l'âne, comme il sied, cramponnée au cuir poilu de la bête, elle songeait à son fils et l'observait à la dérobée. Il marchait devant elle, tenant le licol, et il chantait un chant inconnu, scandé et plein de feu, dont elle ne saisissait pas les paroles. Elle se dit qu'elle devrait s'efforcer de mieux connaître la vie que menait son cadet, trouver le moyen de l'attacher davantage à son chez lui, et à tous les siens. Elle le marierait, garderait l'épouse à la maison, ce qui l'attirerait un peu plus ; il finirait même peut-être par y habiter complètement, grâce à sa femme. Elle lui choisirait une jeune fille, jolie, émouvante, qu'il puisse aimer ; sa première belle-fille ferait le travail, la seconde serait d'un autre genre. A cette pensée, son cœur s'allégea et l'idée lui parut si bonne qu'elle ne put la taire : « Mon fils, dit-elle, tu as plus de vingt ans, tu approches de tes vingt et un, et je songe à te marier bientôt. Que dis-tu de cette perspective joyeuse ? »

Mais qui peut sonder un cœur de jeune homme ? Au lieu de garder un silence souriant, heureux et confus, il s'arrêta et se retourna en déclarant d'un ton obstiné : « Je m'attendais à ce que tu me dises une chose de ce genre. Je crois vraiment que les mères n'ont que cette idée en tête. Mes camarades prétendent que leurs parents leur répètent souvent : « Mariez-vous, mariez-vous... mariez- « vous. » Eh bien, mère, je refuse et si tu m'y obliges, jamais tu ne me reverras. Je ne retournerai plus à la maison. »

Puis il regarda de nouveau devant lui, se remit en marche et hâta le pas. Elle n'osa rien répondre, surprise et effrayée de sa brusque colère et de son silence ensuite, car il cessa de chanter.

Cependant tout cela fut oublié dans l'attente de ce qui viendrait. Le sentier qu'ils longeaient depuis l'aube devint très étroit lorsqu'ils atteignirent la fin de la matinée et les monts aux formes plaisantes, dont les croupes arrondies, recouvertes de prairies et de bambous, encerclaient leurs vallées et se découpaient vertes sur le ciel, s'élevaient à présent en lignes aiguës de plus en plus hardies à mesure qu'on avançait. Enfin, quand au plein midi le soleil déversa sa chaleur en droite ligne, les doux mamelons avaient disparu et à leur place une chaîne de montagnes rocheuses et dénudées dressait ses pointes cruelles contre le ciel. Ces arêtes semblaient encore plus menaçantes sous la voûte limpide qui brillait d'un bleu métallique au-dessus des sommets arides couleur de sable.

Le sentier serpentait sous les pâles et hautes parois de rochers. La pierre n'était pas sombre et noire, mais d'une étrange teinte de lumière, et rien ne poussait là, car il n'y avait d'eau nulle part !

Le chemin devenait plus abrupt et vers une ou deux heures de l'après-midi les voyageurs se trouvèrent tout à coup en face d'une profonde vallée circulaire creusée parmi les sommets. Il devait y avoir une source, car, pris entre des murailles de roc, ils virent un petit village carré environné de quelques champs verts. Mais, lorsque la mère et le fils s'arrêtèrent à la barrière de ce village pour s'informer de la demeure qu'ils cherchaient, une personne qui se trouvait là leur désigna un point sur un rebord encore plus éloigné, plus élevé, en disant : « Là où la verdure finit, à la lisière inférieure, vous trouverez les deux maisons. Au-dessus on ne voit aucune végétation, mais simplement les rochers et le ciel. »

Pendant ce temps, la mère considérait avec stupéfaction ces montagnes aux formes étranges et sauvages, incolores et arides. Elle avait passé sa vie dans les vallées, et maintenant, en gravissant les sentiers qui partaient en lacet du village clos, elle regardait autour d'elle, atterrée de constater la mortelle pauvreté du sol, la maigreur des récoltes, même à l'approche de la moisson, et elle cria à son fils :

« Je n'aime pas l'aspect de cet endroit, mon garçon ! Je crains que la vie ne soit trop dure ici pour ta sœur ; si c'est au-dessus de ses forces, nous la ramènerons à la maison, nous la mettrons sur l'âne et je reviendrai à pied. Ils diront ce qu'ils voudront. Ils n'ont rien payé et je demanderai simplement de l'emmener avec moi. »

Le jeune homme ne répondit pas. Il se sentait las et il avait faim, n'ayant pris qu'un peu de nourriture froide apportée avec eux, et il lui tardait d'atteindre la maison de sa sœur où ils comptaient passer la nuit. Il tira sur la bride de l'âne, si fort, que la mère, incapable de le supporter, s'apprêtait à braver la colère de son fils et à le réprimander, lorsque subitement une maison, puis deux, se dressèrent devant les voyageurs. Elles s'appuyaient sur la plate-forme rocheuse et se collaient en quelque sorte à la pierre. La mère reconnut la demeure de sa fille en apercevant le vilain petit vieux à la porte de l'une des masures. Il vit la mère et la dévisagea comme s'il n'en croyait pas ses yeux, puis il se précipita à l'intérieur et d'autres gens surgirent : un homme maigre et brun, d'aspect farouche, deux femmes et un jeune garçon dégingandé ; mais l'aveugle ne parut pas.

La mère descendit de son âne et s'approcha. Ils la considéraient en silence ; elle les fixa des yeux à son tour et elle eut peur. Jamais elle n'avait vu d'êtres semblables ; des femmes aux cheveux embroussaillés remplis de nœuds, des visages flétris et noircis par le soleil, des vêtements jamais lavés. Tous avaient cette même mine. Ils se rassemblèrent, et de la seconde demeure sortirent un ou deux enfants maladifs, jaunis par la fièvre, les lèvres sèches et fendues, le corps couvert d'une crasse immonde. Grands et petits ne prononcèrent aucune parole d'accueil et continuèrent à dévisager la mère de leurs yeux sans pensée, aussi sauvages que des yeux de bête.

La mère, brusquement, sentit son cœur éclater de terreur, elle s'élança en criant : « Où est ma fille, où avez-vous caché ma fille ? » Et elle courut parmi eux tandis que son fils hésitait et restait près de l'âne.

Une femme prit la parole d'un ton revêche ; il était difficile de comprendre son rude parler du nord, aux sons confus qui s'accrochaient entre les dents cassées. Elle disait : « Vous venez au bon moment, maîtresse. Elle est morte aujourd'hui ! »

« Morte ! » La mère répéta tout bas ce seul mot. Elle était sans voix ; son cœur s'arrêtait de battre et elle n'avait plus de souffle. Mais elle se poussa en avant vers la masure toute proche, et là, sur un lit de roseaux jetés à terre, sa fille aveugle était étendue. Elle reposait calme et morte, revêtue des vêtements qu'elle portait à son départ de chez elle, mais souillés et usés à présent. On ne voyait nulle part trace de choses neuves ; en dehors du tas de roseaux et d'un ou deux escabeaux grossiers, la pièce était vide.

La mère courut s'agenouiller auprès de sa fille et fixa ses regards sur la figure immobile, les yeux enfoncés, la petite bouche patiente et tout ce visage qu'elle connaissait si bien.

Elle éclata brusquement en sanglots et se précipita sur sa fille, lui saisit les mains, releva les manches en guenilles et examina les bras menus, puis elle retroussa les pantalons le long des jambes, cherchant des traces de coups et de violences.

Elle ne trouva rien. La douce peau était intacte, les os délicats n'avaient pas de fêlure, aucune marque suspecte ne paraissait. La jeune fille était pâle et maigre à faire pitié, mais elle avait toujours été menue et la mort est pâle. La mère se pencha sur les lèvres de l'enfant, de crainte d'y trouver une odeur de poison ; seul le faible et triste parfum de la mort lui parvint.

Malgré tout, la mère n'arrivait pas à se convaincre qu'il s'agissait là d'une bonne fin naturelle. Elle se retourna vers ceux qui, de la porte, la surveillaient en silence et vit leurs visages farouches, grossiers, dont aucun ne lui était familier ; et au milieu d'une violente crise de pleurs elle leur lança ces mots : « Vous l'avez tuée, je le sais. Sinon expliquez-moi comment ma fille est morte si vite après m'avoir quittée bien portante ? »

Alors le mauvais vieux qu'elle avait détesté à première vue ricana et dit :

« Prenez garde à vos paroles, maîtresse ; c'est grave de nous accuser de l'avoir tuée et... »

La femme revêche aux cheveux emmêlés l'interrompit en criant : « De quoi elle est morte ? D'un refroidissement, elle était si chétive, voilà tout ! »

Elle cracha à terre et hurla de nouveau : « Une fille inutile s'il en fut, incapable même d'apprendre à monter l'eau de la source sans buter, tomber ou perdre son chemin. »

La mère leva les yeux et vit l'étroit sentier qui descendait la montagne vers une petite flaque d'eau et elle s'écria en gémissant : « Est-ce ce chemin dont vous parlez ? » Personne ne répondit, et en proie à une angoisse croissante elle se lamenta : « Vous l'avez battue : chaque jour sans doute ma fille était battue ! »

Mais la femme reprit vivement : « Examinez-la et voyez si elle a des meurtrissures. Mon fils l'a frappée une seule fois parce qu'elle venait à lui trop lentement, c'est tout. »

La mère releva la tête et demanda d'une voix faible : « Où est votre fils ? »

Ils le poussèrent en avant et il resta là à se dandiner, les yeux fixes, si bien que la mère s'aperçut qu'il était presque idiot.

Elle se pencha et posa sa tête sur sa fille morte en pleurant comme une égarée, avec un désespoir d'autant plus grand qu'elle songeait à ce que l'aveugle avait dû souffrir entre pareilles mains. Tandis qu'elle laissait éclater sa douleur, la colère montait chez ceux qui l'observaient. A la fin, elle sentit qu'on la touchait et, levant les yeux, elle vit son fils qui se baissait vers elle. Il lui murmura avec insistance : « Mère, nous sommes en danger ici ; j'ai peur ; ne nous attardons pas. Mère, elle est morte, nous ne pouvons rien de plus et ils semblent si féroces que je me demande ce qu'ils veulent nous faire. Viens, hâtons-nous vers le village, nous y achèterons de quoi manger et nous regagnerons notre demeure ce soir. »

La mère se leva à regret, mais lorsqu'elle vit l'attitude de ces gens qui, serrés les uns contre les autres, leur lançaient des coups d'œil en marmottant d'une manière suspecte, elle fut effrayée elle aussi. Il lui fallait songer à son fils. Ils pouvaient bien la tuer, elle, s'ils le désiraient, mais pas lui.

Elle se retourna pour contempler sa fille une fois de plus. Elle arrangea les vêtements de la morte et lui allongea les mains le long du corps, puis elle sortit au-dehors, dans l'après-midi à son déclin. Lorsqu'elle parut plus calme, et se prépara à remonter sur son âne, l'homme qui n'avait pas prononcé le moindre mot jusque-là, le père de l'idiot, lui dit : « Si vous ne croyez pas que nous sommes d'honnêtes gens, maîtresse, regardez le cercueil que nous avons acheté à votre fille. Il nous a coûté dix pièces d'argent, tout ce que nous possédions. Pensez-vous que nous le lui aurions payé si nous ne l'avions pas estimée ? »

La mère aperçut en effet un cercueil près de la porte, mais elle se rendit bien compte qu'il était loin de valoir cette somme. C'était une de ces caisses grossières en bois aussi mince que du papier, sans peinture, que n'importe quel pauvre peut s'offrir. Dans son indignation, la mère ouvrit la bouche pour répondre : « Cette boîte ! l'argent que j'ai donné à ma fille suffisait à l'acheter ! »

Mais elle ne prononça pas ces mots. De même qu'un nuage glacé passe sur la lumière du jour, une sensation de danger l'envahit. Ces deux mauvais hommes, ces femmes sauvages..., de nouveau son fils la pressait, en tirant sur sa manche ; alors elle dit avec fermeté : « Je me tairai à présent. Ma fille est morte ; toutes les colères du monde, et les paroles, sont incapables de la ramener. »

Elle s'arrêta, les dévisagea à tour de rôle et dit encore : « Vous êtes en face du ciel et des dieux, qu'ils vous jugent, vous et les actes que vous avez bien pu commettre. »

Elle les regarda les uns après les autres, mais personne ne répondit ; alors elle se détourna d'eux, monta sur son âne, et son fils se hâta de conduire la bête le long du sentier rocailleux ; il se retournait de temps à autre en frissonnant, pour voir s'ils étaient poursuivis : « Je ne serai tranquille que lorsque nous nous trouverons de nouveau près de ce village où il y a du monde, j'ai si peur », fit-il.

Mais la mère ne répondit rien. A quoi bon. Sa fille était morte.

## CHAPITRE XVII

L'ANE s'arrêta devant la porte de la demeure et la mère descendit anéantie de fatigue. Elle avait pleuré tout le long du chemin, tantôt très haut, tantôt silencieusement, et ses larmes mettaient par moments son fils hors de lui. Il finit par la supplier avec angoisse : « Cesse tes gémissements, mère, je ne peux plus les supporter ! »

Elle se calmait un instant à cause de lui, puis reprenait de plus belle, tellement qu'à la longue il grinça des dents et grommela d'un air farouche : « Si nous étions moins misérables et avions atteint le grand jour, où les pauvres recevront leur part et pourront se défendre, nous attaquerions ces gens pour la mort de ma sœur. Mais à quoi cela nous servirait-il dans notre détresse actuelle, car il n'y a pas de justice dans le pays ? »

Et la mère répondit au milieu de ses sanglots : « C'est bien vrai qu'il est inutile de songer à un procès quand on n'a pas de quoi le payer. »

Puis elle eut un nouvel accès de désespoir et s'écria : « Mais tout l'argent et toute la justice de ce monde ne me rendraient pas ma fille aveugle ! »

Le jeune homme pleura à son tour, non pas précisément à cause de sa sœur, ni même de sa mère, mais parce que ses pieds lui faisaient mal, qu'il n'en pouvait plus et se sentait dans un monde à l'envers.

Ils parvinrent enfin à la porte de chez eux. Dès qu'elle eut mis pied à terre, la mère appela son aîné d'un ton si aigu, si perçant, qu'il sortit en courant de la maison et elle lui cria : « Mon fils, ta sœur est morte ! » Et, pendant qu'il la dévisageait fixement sans bien comprendre, elle fit son récit, se répandit en paroles ; les voisins accoururent au bruit jusqu'à ce que dans la nuit tombante le hameau presque tout entier se trouvât réuni pour écouter. Le jeune garçon, à peu près sans connaissance, était resté appuyé sur l'âne. Sa mère ne s'arrêtait pas de parler, il se jeta sur le sol et demeura couché de tout son long, étourdi par les événements de la journée. Il ne disait rien tandis que sa mère pleurait, hurlait et promenait ses yeux ruisselants sur les visages qui l'entouraient en criant au milieu de ses larmes :

« Ma petite fille était là, inanimée, froide, et je m'en veux mortellement de l'avoir laissée partir d'ici. Jamais ce ne serait arrivé sans cette bru au cœur de pierre qui refusait à l'enfant un morceau de viande et une fleur à son soulier, si bien que j'ai frémi à l'idée de ce qui se passerait si je venais à mourir, et la petite avait peur elle aussi — une fille si tendre, qui ne m'aurait jamais quittée de son plein gré. — Quelle envie avait-elle d'un homme, ou du mariage ? Elle gardait son âme d'enfant et se cramponnait à moi et à son foyer. Oh ! mon fils, c'est ta femme qui est cause de tout ! Je maudis le jour où elle est venue, et ce n'est pas étonnant qu'avec un cœur si dur elle reste stérile ! »

La mère continuait à se lamenter. Au début, chacun l'écoutait en silence, se contentait de pousser une exclamation lorsqu'on arrivait à reconstituer le récit d'après ses phrases entrecoupées de larmes. On essayait de la réconforter, mais elle refusait d'être consolée. Le fils aîné ne disait rien, il se tint tête baissée jusqu'à ce que sa mère, maudissant la jeune femme, fît allusion à sa stérilité ; il l'interrompit alors de sa voix tranquille et raisonnable :

« Non, mère, elle ne t'a pas demandé d'envoyer ma sœur là-bas. Tu l'as expédiée très rapidement, sans en parler à personne ; tu as tout décidé et nous nous étonnions de ce que tu ne veuilles pas voir toi-même ce qui en était. »

Puis il se tourna vers le cousin et lui demanda : « N'en pensez-vous pas autant, cousin ? Vous souvenez-vous quand je vous ai dit combien nous étions surpris de voir ma mère se hâter à ce point ? »

Le cousin détourna les yeux et, tout en mâchonnant un brin de paille, il murmura contre son gré : « Eh oui, un peu prompte ! »

Et sa femme, tenant un de ses petits-enfants sur son bras, dit à la mère d'un ton lugubre :

« Oui, c'est vrai, ma sœur, vous avez toujours été vive, vous ne demandiez jamais le moindre avis à personne. Avant qu'aucun de nous ait pu deviner ce que vous aviez en tête, c'était décidé et accompli ; et vous ne désiriez qu'une chose, c'est qu'on vous approuve. Vous avez été comme cela toute votre existence, c'est votre nature. »

Mais la mère ne pouvait supporter le moindre blâme ce soir-là et, dirigeant vers sa cousine un visage dans lequel montait la colère, elle lui cria : « Vous êtes habituée à votre homme qui n'en finit plus, si des êtres aussi lents que lui se mêlent de nous trouver trop vives... »

Et pendant un instant on put croire que ces deux femmes, si liées leur vie durant, se laisseraient aller à se lancer des paroles amères, mais le cousin était un homme si bon et si paisible qu'en voyant rougir la large face de sa femme tandis qu'elle rassemblait ses esprits pour choisir une réponse mordante, il lui dit : « Laisse cela tranquille, mère de mes fils, elle est malade de chagrin, ce soir, et ne se possède plus. » Et, après avoir mâchonné un moment sa paille, il ajouta humblement : « Il est certain que je suis très lent ; on me l'a répété bien des fois depuis ma naissance, toi la première, mère de mes fils... oui, je suis lent ! »

Il regarda ses voisins et l'un d'eux affirma gravement : « Oui, c'est certain, vous avez les gestes lents ainsi que l'esprit, et la parole non plus ne vous vient jamais vite !

— En effet », dit le cousin avec un soupir, puis il cracha les débris de paille de riz qu'il mâchait et arracha un brin frais à la meule près de laquelle il se tenait.

La querelle était évitée, mais la mère ne se sentait pas soulagée. Elle aperçut la vieille commère du village debout parmi la foule, la bouche ouverte, les yeux fixes, tout son visage aux joues pendantes avide de savoir ce qui se passait. A cette vue, la colère de la mère, sa douleur et son angoisse se donnèrent libre cours ; elle se précipita sur la femme, lui griffa sa grosse figure, l'empoigna par les cheveux en criant :

« Vous connaissiez ces gens, vous saviez que le fils était idiot, vous me l'avez caché, vous inventiez, vous prétendiez qu'il s'agissait de simples paysans dans notre genre. Jamais je n'avais compris que me fille devrait monter et descendre ce sentier rocailleux pour porter leur eau. Vous êtes la cause de tout, et je vous jure que je ne me reposerai pas avant de vous l'avoir fait payer d'une manière ou de l'autre. »

Elle continua à maltraiter la vieille qui n'était pas plus capable de lutter avec la mère hors d'elle qu'en état de calme. On était à se demander comment cela finirait quand le fils aîné se précipita pour séparer les deux femmes. Son frère se releva et lui vint en aide. Ensemble, ils maintinrent leur mère, ce qui permit à l'autre de s'enfuir, mais elle s'arrêta à distance, séparée du groupe par les voisins, elle s'écria pour sauvegarder son honneur : « Oui, mais votre fille était aveugle, quel homme convenable eût voulu d'elle ? Je vous ai rendu un fier service, maîtresse, et voilà les remerciements que j'obtiens. »

Elle se frappa la poitrine, montra les égratignures de son visage et se mit à pleurer et à se monter la tête, s'échauffant pour reprendre la querelle avec plus d'avantage.

La foule l'entraîna au plus vite et les fils obligèrent doucement leur mère, toujours en larmes, à rentrer. Enfin, épuisée, elle se laissa conduire dans sa chambre et quand ses fils l'eurent assise, sa belle-fille lui apporta une écuelle d'eau bouillante, très sédative, qu'elle avait mise sur le feu pendant la dispute. Elle y trempa une serviette et en épongea le visage et les mains de sa belle-mère, puis lui versa du thé chaud et servit un repas. Petit à petit la mère se laissa calmer. Elle pleura plus bas, soupira un moment, but un peu de thé, mangea quelques bouchées, regarda enfin autour d'elle et demanda :

« Où est mon petit garçon ? »

Le jeune homme s'avança et elle vit qu'il était mortellement pâle, très las, et que son expression joyeuse avait disparu pour l'instant. Elle le fit asseoir sur le banc à côté d'elle, lui tint la main et le força à manger et à se reposer en lui disant : « Reste à côté de moi, mon garçon, sur la couche où ta sœur dormait. Je ne peux pas la sentir vide ce soir, mon fils. »

Et il s'étendit, tombant aussitôt dans un lourd sommeil.

Mais même lorsque tout fut tranquille dans la

maison, la mère n'arriva pas à s'assoupir de longtemps. Elle était épuisée jusqu'aux moelles, le corps brisé par la longue chevauchée et par la lassitude de son âme, et la seule chose qui la consolait était d'entendre près d'elle la profonde respiration du jeune homme. Elle songea à lui avec une nouvelle tendresse et se dit : « Il faut que je fasse davantage pour lui. Il est tout ce qui me reste. Je le marierai et nous ajouterons une nouvelle chambre à la maison. Il y sera seul avec sa femme et quand les enfants viendront... Oui, je lui trouverai une bonne épouse vigoureuse pour que nous ayons des petits enfants chez nous. »

Et cet espoir de petits enfants encore à naître était le seul réconfort qu'elle pût entrevoir dans toute sa vie à venir.

Sans doute cette consolation-là eût-elle été de courte durée, mais l'ancienne dysenterie s'empara d'elle de nouveau et la rendit mortellement faible, trop faible pour s'affliger. Elle resta sur son lit pendant bien des jours, purgée corps et âme ; tout son chagrin et même ses pensées bienfaisantes demeuraient en suspens, car elle n'avait pas plus de forces pour la douleur que pour l'espoir. Beaucoup vinrent l'exhorter ; ses voisines et la femme de son cousin lui répétaient : « Maîtresse, la petite était aveugle, après tout », ou bien : « Maîtresse, nous ne pouvons rien changer à ce que le ciel a décidé pour nous et les lamentations sont inutiles en ce monde », ou bien encore : « Pensez à vos bons fils ! » Et un jour que la cousine lui disait cela, la mère répondit d'une voix faible : « Oui, mais la femme de mon fils aîné ne conçoit pas, et le cadet refuse de se marier. »

Alors la cousine répondit du fond du cœur : « Patientez encore un ou deux ans après votre belle-fille. Souvent une femme, après sept années stériles, atteint sa nature véritable et donne une moisson de beaux enfants. J'ai vu cela. Quant au gamin, s'il déclare qu'il ne veut pas se marier, c'est qu'il a un amour caché, comme en ont les jeunes de nos jours, car je suis certaine qu'il n'existe pas un homme au monde qui n'ait pas envie de se marier. »

La mère demanda tout bas : « Penchez votre oreille sur mes lèvres », et lorsque la cousine se fut approchée, la mère murmura : « Depuis que le malheur me poursuit et que tout va de travers pour moi, je crains que ce ne soit le résultat de mon péché d'autrefois. Les dieux ne l'ignorent pas et le ciel ne m'enverra jamais de petit-fils ! »

Elle ferma les yeux à cette pensée et deux grosses larmes s'échappèrent de ses paupières closes. Elle songea à toutes ses fautes passées, non seulement à celle que sa cousine connaissait, mais à ses tromperies, lorsqu'elle s'était fait passer pour veuve, aux lettres qu'elle avait dictées, et à ses mensonges. Elle ne considérait pas le mensonge en lui-même comme une chose impardonnable, car chacun doit mentir un peu, de temps à autre, pour sauvegarder son honneur, mais elle avait annoncé la mort d'un homme, voilà où était le mal. Il lui semblait à présent que c'était presque aussi grave que si elle avait levé le bras pour le tuer, et elle s'était servie de cette histoire de mort avec l'espoir qu'un autre homme la prendrait. Ainsi ses vieux péchés, si anciens qu'elle les oubliait plusieurs jours de suite quand elle se portait bien, revenaient tout frais à sa mémoire à présent qu'elle se sentait faible et triste. Ils semblaient très lourds, car elle ne pouvait pas les avouer et les gardait en elle-même, et ils lui pesaient d'autant plus qu'elle jouissait parmi ses compagnes d'une si bonne réputation.

Elle était très abattue et n'avait de goût à rien ; seule la présence de son fils cadet lui apportait un peu de réconfort. Sa bru la soignait de son mieux, lui servait sa nourriture bien chaude, et au moment voulu ; elle n'hésitait même pas à parcourir un ou deux milles jusqu'à un village où l'on faisait une sorte de bouillie sèche, avec des fèves. La mère ne pouvait se passer de sa belle-fille, elle l'appelait simplement pour l'aider à se retourner dans son lit, mais la jeune femme ne lui donnait aucune joie, et souvent, quand elle s'appliquait de son mieux, la mère se fâchait parce qu'elle lui trouvait les mains froides ou le teint jaune et elle lui lançait des regards un peu hostiles et enfantins. Cependant elle ne l'accusait plus jamais d'être stérile, ayant la vague crainte d'en être elle-même responsable, à cause de ses péchés.

Elle se leva enfin de son lit et, lorsque l'automne prit fin, son chagrin s'émoussa. Elle resta morne, mais sans la folie du désespoir, et elle songeait à sa fille avec une peine moins aiguë. Elle finit même par se dire : « Peut-être qu'on a raison et vaut-il mieux que ma fille soit morte. Il y a tant de choses pires que la mort ! »

Elle s'accrocha à cette unique pensée.

Le hameau entier lui venait en aide. Jamais on ne parlait de sa fille devant elle, ni ailleurs sans doute, car une aveugle ne laisse pas de souvenirs derrière elle et ces infirmes sont nombreux, un peu partout. Au début on se taisait en présence de la mère afin de lui éviter un chagrin, puis on se tut parce qu'il n'y avait rien à ajouter, et enfin parce qu'on recevait d'autres nouvelles sur des faits et des gens différents ; la petite vie de l'aveugle était finie.

Pendant un certain temps la commère du village évita soigneusement de rencontrer la mère ou de rester seule avec elle, mais, quand elle vit à quel point la pauvre femme se sentait faible au sortir de son lit, la vieille s'égaya et lui cria le bonjour comme autrefois.

Et la mère gardait le silence sur le passé : il ne s'éveillait que parfois, au fond de son cœur.

## CHAPITRE XVIII

On put croire que la mère éprouverait quelque consolation, car, au printemps de cette année-là, le fils cadet parut à la maison et lui dit :

« Je viens passer ici un certain temps, mère, je ne sais pas ce que cela durera, mais j'attendrai qu'on me rappelle. »

Elle s'en réjouit, mais il répondit à peine. Il semblait changé, restait très tranquille, sans chanter ni faire des folies ou parler étourdiment selon son habitude ; sa mère se demanda s'il était malade ou préoccupé pour quelque raison secrète. Lorsqu'elle parla de cette contrainte à sa cousine, celle-ci lui répondit doucement : « Sans doute sort-il de l'enfance. Il doit être contemporain de ma cinquième fille ; elle a près de vingt et un ans, et voilà quatre ans qu'elle est mariée. A vingt ans un homme a passé l'âge des folies, bien que votre mari ait continué jusqu'au dernier jour où je le vis. »

La mère soupira : « C'est vrai », dit-elle. Le souvenir de son mari était devenu très vague, il se mêlait en quelque sorte à l'image de son fils cadet et parfois elle n'arrivait pas à l'en détacher ; quand elle cherchait à se rappeler le visage du père, celui du fils surgissait à sa place.

Mais, au bout de neuf jours, le jeune homme disparut presque aussi vite et aussi mystérieusement qu'il était venu, bien que personne ne sût comment il avait reçu le message. Il partit, mettant ses quelques effets dans une petite boîte en cuir. Sa mère s'affligea de son départ et s'écria : « Je pensais que tu étais venu pour rester tout à fait, mon fils. »

Mais il répondit : « Oh ! je reviendrai, mère ! » et il semblait joyeux et pressé de s'en aller.

Par la suite, sa gaieté persista. Il allait et venait sans prévenir. Il entrait, son rouleau de vêtements sous le bras, puis il errait un ou deux jours dans le petit hameau, s'asseyait dans la maison de thé, et parlait beaucoup de la misère des temps, de la justice mal faite et du grand jour qui se lèverait et qui arrangerait tout. Les hommes l'écoutaient, silencieux, bouche bée, en se regardant, perplexes. L'aubergiste s'écriait en grattant sa tête graisseuse : « Je vous jure, voisins, que ça fait l'effet de phrases de voleurs ! »

Mais par égard pour la mère et le brave fils aîné, on laissait le cadet tranquille. On le prenait pour un enfant, qui deviendrait raisonnable une fois marié ; quand il mènerait une vie d'homme.

Cependant, chez lui, le jeune garçon restait oisif ou faisait semblant de vouloir aider son frère à quelque tâche facile, mais, chaque fois, l'aîné disait d'un ton de mépris : « Je te remercie bien, mais je suis habitué à faire mon travail sans toi. »

Le gamin le regardait d'un air impertinent, car ces derniers temps il prenait une expression de plus en plus insolente, dédaignant une querelle. Il crachait dans la poussière et riait d'un air dégagé en disant : « A ton aise, mon aîné ! » Il paraissait si enchanté de sa personne que son frère sentait la haine l'étouffer et il l'aurait volontiers prié de s'en aller pour ne plus revenir, mais un homme ne peut pas chasser son frère et garder le respect de ses voisins.

La mère ne trouvait aucun défaut à son fils cadet ; elle l'admirait même quand il prononçait devant elle ses grandes phrases et disait en songeant à son frère : « Je te jure que ces petits propriétaires qui doivent louer des champs pour vivre, ces personnages mesquins et fiers méritent ce qui leur tombera dessus le jour où les terres seront données à tous et que personne n'aura son bien propre. »

La mère ne comprenait pas les premières paroles, elle dit d'un ton plaintif : « Oui, je trouve aussi que ton frère est parfois trop fier ; cependant il a une femme stérile ! »

Tout ce que disait le cadet semblait sage à la mère et elle s'accrochait à lui. Quand il venait à la maison, c'était une fête pour elle et elle aurait voulu que chaque jour qu'il y passait fût jour de congé, que l'on tuât un poulet et servît des mets de choix. Mais c'était impossible. Les volailles appartenaient à l'aîné et elle se bornait à voler un œuf ou deux lorsqu'elle découvrait un nid. Elle les gardait pour le plus jeune et les versait en cachette dans l'eau bouillante pour les lui faire boire en y ajoutant un peu de sucre qu'elle était arrivée à mettre de côté pour lui.

Elle lui conservait aussi toutes ses friandises ; les pêches, les fruits de kaki séchés ou les petits gâteaux qu'elle recevait par amitié dans ses visites au hameau lorsqu'elle y promenait son oisiveté de vieille femme. Elle passait beaucoup de temps à surveiller ces réserves, qu'elle gardait le plus longtemps possible et craignait de voir moisir. Lorsquue son fils retardait sa visite et qu'elle était forcée de les manger elle-même, elle n'y prenait aucun plaisir et jouissait à peine de ces douceurs bien qu'elle fût gourmande elle aussi. Souvent elle ouvrait le tiroir dans lequel elle les conservait ; les retournait avec ses doigts et se disait : « Il ne vient pas, il n'est pas là. Si j'avais un petit-fils, je les lui donnerais ; je n'ai personne, si mon fils ne vient pas ! »

Pendant plusieurs heures, chaque jour, assise, elle surveillait le chemin, cherchant à entrevoir son fils ; dès qu'une robe d'homme reluisait au loin, elle courait aussi vite qu'elle le pouvait. Si c'était lui, elle prenait la douce main chaude du jeune garçon entre ses vieux doigts osseux et l'entraînait dans sa chambre, où elle lui versait le thé que sa belle-fille avait soin de toujours tenir prêt pour elle, puis elle sortait avec joie ses petites gâteries. Elle s'asseyait et contemplait son fils avec amour, le regardant choisir les meilleurs morceaux. Parfois il détournait ses narines délicates et disait : « Mère, ce gâteau est moisi », ou bien : « Je n'ai jamais aimé ces galettes de farine de riz aussi sèches ! »

Elle répondait alors, toute chagrine : « Est-elle vraiment trop sèche, mon fils ? Je pensais que tu l'aimerais malgré cela. » La mère la prenait elle-même pour éviter qu'elle fût perdue, désolée qu'elle n'ait pas été meilleure et appréciée par son fils.

Quand il avait mangé ce qui lui plaisait, elle écoutait ce qu'il avait à dire. Jamais il ne répondait franchement à ses questions, comme elle l'eût désiré, et, quand elle insistait, il semblait pressé de s'en aller. Dès qu'elle s'en aperçut, elle s'efforça de se taire. Lui, de son côté, apprit à détourner l'attention de sa mère. A mesure qu'elle vieillissait, elle oubliait davantage et il devenait facile de changer le cours de ses idées ; il n'avait qu'à dépeindre une merveille qu'il venait d'admirer : un jongleur qui faisait glisser un serpent au fond de sa gorge et le retirait par la queue, une femme qui montrait son enfant à deux têtes à qui voulait, pour deux sous, et toutes sortes de spectacles qui se voient en ville.

La vieille mère pleurait au départ du jeune garçon ; elle était distraite par ces récits qu'elle ne pouvait s'empêcher de répéter à son aîné et à sa belle-fille. Un jour que son fils se lavait la figure après le travail des champs, penché au-dessus d'une écuelle de terre remplie d'eau, sa mère se lança dans une de ces histoires. Il releva son visage mouillé et dit avec une grande amertume : « Oui, c'est cela. Il ne te nourrit pas et ne fait rien pour toi, il te lance simplement une pièce comme à une mendiante. Il vient ici, mange et ne met pas plus la main au sarcloir qu'à la charrue. Mais il te raconte des choses et tu fais plus cas de lui que de... »

Il s'interrompit et se baissa, se débarbouillant à grand bruit sans écouter la réponse de sa mère.

Elle n'en savait pas davantage sur son cadet. Elle connaissait son joli corps souple, l'or pâle de sa peau de citadin, si différente de celle d'un paysan, rouge et brune ; elle voyait comment il laissait pousser les ongles de ses petits doigts et combien ses dents étaient blanches, ses cheveux brillants et onctueux. Il les gardait longs autour de ses oreilles et secouait la tête pour écarter les mèches luisantes de ses yeux.

Elle connaissait aussi son sourire si prompt, ses yeux hardis, et elle aimait l'insouciance avec laquelle il maniait l'argent, la manière dont il fouillait dans sa ceinture pour lui donner ce qu'il avait, ou bien, quand il était à court, sa façon de réclamer. Et elle préférait insister pour lui glisser une pièce que d'en recevoir de lui. Tout ce qu'il lui remettait, elle le gardait avec le désir de le lui rendre dès qu'il en aurait besoin. C'était le meilleur emploi qu'elle pût trouver pour son petit pécule.

## CHAPITRE XIX

La mère attendait son jeune fils, mais il ne parut pas. Elle était sûre qu'il reviendrait, car trois jours plus tôt, il avait surgi, en secret, la nuit, passant à travers champs afin d'éviter le village. Il gratta légèrement à sa porte et elle craignit d'ouvrir, redoutant les voleurs. Sur le point d'appeler, elle l'entendit parler bas et très vite. Heureusement l'agitation des poules, juchées près du lit, empêcha le léger bruit de parvenir aux oreilles du fils aîné et de sa femme.

La mère se leva aussi vite qu'elle put ; elle prit à tâtons ses vêtements et sa chandelle et ouvrit la porte doucement, car il devait s'agir de quelque mystère pour que son cadet vînt à cette heure et avec tant de précautions. Il était là, accompagné de deux jeunes gens vêtus de noir, comme lui-même à cette époque. Ils tenaient un grand paquet entouré de papier et attaché par des cordes. Quand elle ouvrit la porte, la lumière dans la main, son fils éteignit la chandelle.

Une petite lune éclairait faiblement et permettait d'y voir un peu. La mère poussa une légère exclamation de joie à la vue de son fils qui lui dit tout bas :

« Mère, j'ai quelque chose à mettre sous ton lit avec tes vêtements d'hiver ; n'en parle pas. Personne ne doit s'en douter, et je reviendrai le chercher. »

Elle ouvrit les yeux tout grands ; le cœur lui manqua en entendant ces paroles et elle dit gravement, mais à voix basse comme lui : « Fils, je pense qu'il ne s'agit pas d'une chose malhonnête ? J'espère que tu ne toucheras jamais au bien des autres ? »

Il répondit vivement : « Non, mère, je n'ai rien pris, je te le jure. Ce sont des peaux de mouton que j'ai obtenues à bon compte, mais, comme toujours, mon frère me blâmerait de les avoir achetées et je n'ai aucun endroit où je puisse les serrer. Elles étaient à très bas prix ; je t'en donnerai une l'hiver prochain, tu t'en feras un manteau — nous serons tous bien l'hiver prochain ! »

Elle était enchantée et quand il affirma n'avoir rien volé, elle n'eut aucun doute. Heureuse de partager un secret avec lui, elle répondit bien vite : « Oui, tu peux te fier à moi, cette chambre contient beaucoup de choses que mon fils et ma bru ignorent. »

Les deux hommes apportèrent le paquet et le glissèrent sous le lit sans faire de bruit. Les poules commencèrent à caqueter, l'œil fixe, et le buffle s'éveilla et se mit à ruminer.

Le jeune homme refusa de rester. Sa mère, surprise de sa hâte, se contenta de dire : « Sois tranquille, mon fils, j'en aurai soin ; mais ne faudrait-il pas aérer ces peaux et les mettre au soleil de crainte des mites ? »

Il répondit d'un air insouciant : « Ce n'est pas pour un jour ou deux qu'elles s'abîmeront. Nous allons changer de logement, nous serons plus au large, j'aurai une chambre à moi, et gagnerai bien davantage. »

Lorsqu'il parla de ce logement spacieux, la mère songea aussitôt à ce mariage qu'elle avait toujours dans l'esprit. Elle entraîna son fils à l'écart et le regarda d'un air suppliant. Le refus de se marier était la seule chose qui ne lui plût pas chez lui. Elle savait ce qu'il en était d'avoir un sang chaud et retrouvait dans son enfant les traces de ces ardeurs dont elle était possédée, jeune femme. Il devait les satisfaire ici ou là et elle lui réprochait ce gaspillage. Il eût mieux valu que, marié à une jeune fille comme il faut, il donnât des petits-fils à sa mère. Mais en ce moment, au milieu de cette hâte, le sachant pressé de partir et attendu par ses deux camarades, debout dans l'ombre de la porte, elle lui saisit la main et lui dit tout bas, d'un ton enjôleur : « Mais, mon fils, si tu es si grandement logé, pourquoi ne me permets-tu pas de te chercher une jeune fille ? Je prendrai la meilleure et la plus jolie que je puisse découvrir — ou bien, si toi tu en connais une, dis-le-moi et je demanderai à ma cousine de faire le mariage. Et si je peux aimer moi aussi celle que tu désires, je te laisserai libre, mon fils. »

Le jeune homme secoua les longues mèches qui lui tombaient sur les yeux et essaya de dégager sa main en regardant la porte. Mais la mère le tenait fermement et essaya encore de le persuader :

« Pourquoi, dit-elle, dépenser tes bonnes ardeurs un peu partout, sur des herbes folles, mon garçon, et me priver de beaux petits-fils ? La femme de ton frère est si froide que je n'aurai jamais d'enfants sur mes genoux si tu ne m'en donnes pas. Je sais bien ce qu'était ton père et tu lui ressembles. Plante ta semence dans ta propre demeure. »

Le jeune homme riait silencieusement et écartait les mèches qui retombaient sur ses yeux brillants ; il dit d'un air un peu étonné : « Les vieilles femmes comme toi, mère, ne pensent qu'aux mariages et aux naissances. Nous autres jeunes, nous envoyons promener tout cela. Dans trois jours, mère ! »

Il s'arracha à elle et partit, passant à travers les champs à peine éclairés, en compagnie des deux jeunes gens.

Trois jours passèrent et il ne vint pas. Trois autres jours et encore trois, et la mère effrayée se demanda s'il lui était arrivé malheur. Depuis cette dernière année, elle ne pouvait plus guère aller en ville. Elle attendit donc, irritable envers tous ceux qui l'approchaient, n'osant pas avouer ses craintes, ni quitter sa chambre, de peur que sa belle-fille, si soigneuse, ne s'avisât de tirer les rideaux et de découvrir le paquet sous le lit.

Une nuit qu'elle ne pouvait dormir songeant à tout cela, elle se leva, alluma et se baissa pour regarder, retenant d'une main les rideaux. Elle vit le grand paquet carré enveloppé de gros papier, et ficelé solidement avec de la corde de chanvre. Elle appuya dessus et sentit quelque chose de dur qui ne ressemblait pas à de la peau de mouton.

« Si vraiment c'en était, il faudrait la mettre au soleil », dit-elle entre ses dents, tourmentée par la crainte de voir de bonnes fourrures dévorées par les mites qui pouvaient s'y introduire. Mais elle n'osait ouvrir le colis et laissa tout en état. Cependant son fils ne donnait pas signe de vie.

Les jours s'écoulaient, le mois était passé, et la mère eût été complètement hors d'elle-même si un événement n'était venu la distraire un peu de ses craintes. Jamais elle ne se serait attendue à cette nouvelle : sa belle-fille avait conçu.

Oui, après toutes ces années de tiédeur, la jeune femme s'était ressaisie et avait fait son devoir. Un matin, le fils aîné vint, l'air très important, trouver sa mère assise sur le seuil de la porte. Il lui annonça avec un visage tout plissé de sourires :

« Mère, tu auras un petit-fils ! »

Elle sortit de la lourde rêverie dans laquelle se passaient ses journées et, de ses yeux qui se voilaient d'une taie, elle considéra son fils et lui dit d'un ton revêche : « Tu parles comme un imbécile. Ta femme est aussi froide qu'une pierre et tout aussi stérile, et je ne sais pas où est ton frère, mais il gaspille sa bonne semence n'importe où et refuse de se marier et de la bien employer. »

Le fils aîné toussa et répéta nettement :

« La femme de ton fils a conçu. »

Tout d'abord, la mère se refusa à l'admettre, elle dévisagea fixement son fils, puis s'écria en tirant sur son bâton pour se redresser :

« Elle n'a pas.. Je n'arriverai jamais à le croire. »

Mais elle comprit, d'après l'expression du jeune homme, qu'il disait vrai. Elle se leva et alla aussi vite qu'elle le put trouver sa bru qui hachait des poireaux dans la cuisine ; elle la regarda curieusement et lui cria : « Avez-vous donc enfin quelque chose dans le corps ? »

La jeune femme acquiesça de la tête et continua son travail. Elle avait le visage blême, mais tacheté de rouge, et la mère fut convaincue ; elle s'informa :

« Depuis quand le savez-vous ?

— Il y a un peu plus de deux lunes. »

La mère entra en fureur en songeant qu'on ne lui avait rien dit, et elle hurla, frappant de son bâton le sol battu : « Pourquoi me l'avoir caché, moi qui depuis des années soupire, pantelante et assoiffée du désir d'entendre cette nouvelle ? Deux lunes ! Vit-on jamais créature aussi froide que vous, n'importe quelle autre femme se fût pressée de me l'annoncer dès le premier jour ! »

La jeune femme arrêta le mouvement de son couteau et dit avec son habituelle circonspection : « Je ne l'ai pas fait de crainte de me tromper et de vous causer une déception d'autant plus grande. »

La mère refusa d'accepter cette excuse. Elle cracha et dit : « Alors, avec tous les enfants que j'ai eus, je ne pouvais pas vous dire si vous vous trompiez ou non ? Vous vous figurez que je suis une enfant et que l'âge m'a rendue idiote. Vous me le laissez voir à chaque pas. »

Mais la jeune femme ne répondit rien. Elle pinça ses grosses lèvres pâles, prit une théière en terre posée sur la table, versa un bol de thé et conduisit la mère à sa place, contre le mur.

La vieille femme, dans son impatience de raconter la nouvelle, était incapable de rester tranquille. Il lui fallut courir chez ses cousins, qui étaient assis chez eux, car à présent leurs fils travaillaient aux champs, du moins trois d'entre eux ; les autres étaient partis gagner leur pain au-dehors, et le père se bornait à de légères besognes. Sans pouvoir fournir de gros efforts, il était continuellement occupé. Mais sa femme dormait paisiblement toute la journée, sauf quand les cris de ses petits-enfants l'appelaient. La mère traversa le chemin et la tira impitoyablement de son sommeil, lui criant : « Vous ne serez pas la seule grand-mère ici, je vous le promets ! Dans quelques mois j'aurai un petit-fils moi aussi ! »

La cousine reprit lentement ses sens, sourit, se passa la langue sur ses lèvres séchées par le sommeil, ouvrit des yeux placides et demanda :

« Est-ce vrai, cousine ? Votre jeune garçon va-t-il se marier ? »

La joie de la mère tomba un peu et elle répondit : « Non, ce n'est pas cela. »

Le cousin leva la tête. C'était un petit homme ratatiné à présent, assis sur son escabeau de bambou, en train de tordre des cordes de paille, pour y faire filer ses vers à soie, car c'était l'époque où ils tissaient leurs cocons. Il s'informa en mots brefs et secs selon son habitude :

« Votre belle-fille, alors, cousine ?

— Oui », répondit la mère avec entrain, sa gaieté revenue, et elle s'installa pour bien raconter son histoire. Mais elle ne voulait pas paraître trop satisfaite et dissimula son plaisir sous des plaintes en disant : « J'ai attendu huit années ! Il était temps ! Si j'avais été riche, je lui aurais pris une autre femme mais je pensais que le tour de mon cadet devait passer avant que je ne songe à donner deux femmes à l'aîné, car le mariage coûte cher de nos jours, même pour une deuxième épouse, si elle est convenable et ne sort pas d'un mauvais lieu. Ma belle-fille a toujours été une femme lente et d'un caractère différent du mien, une nature froide comme celle d'un serpent.

— Mais elle n'est pas méchante, maîtresse, observa le cousin dans son souci de justice. Elle a toujours agi sagement, avec soin. Vous avez maintenant des canards sur la mare, mâles et femelles, que vous n'aviez pas autrefois ; elle a accouplé votre vieux buffle, ce qui vous a procuré un jeune animal de plus, et vous avez le double de volailles, dix ou douze poules, sans compter toutes celles que vous vendez chaque année.

— Pas méchante, répéta la mère, malgré elle, mais je préférerais qu'elle sache mettre à profit d'autres ardeurs que celles de son bétail et de ses coqs. »

La cousine répondit avec bonté, mais elle était très endormie ces temps-ci, et elle bâilla en disant : « Oui, elle ne vous ressemble pas, cousine, c'est certain. Vous avez toujours été une femme si complète, si ardente, capable d'agir énormément et de rester solide et de bonne affaire. En dehors de vos crises de dysenterie, je m'étonne de vous voir marcher aussi vite, moi qui ne peux plus aller que du banc à ma table et de ma table à mon lit. »

Et le cousin ajouta, plein d'admiration : « Oui, moi qui mange moitié moins qu'autrefois, je vous entends d'ici quand vous êtes assise chez vous et que vous réclamez pour qu'on vous remplisse votre bol, plusieurs fois de suite. » La mère, enchantée de ces compliments, dit d'un air modeste : « Je mange autant que jamais, trois ou quatre bols, et de tout, à condition que ce ne soit pas trop dur, car j'ai perdu mes dents de devant. Je me sens très robuste quand la dysenterie est arrêtée.

— Une forte créature ! » murmura la cousine, puis elle somnola un peu, se réveilla, et quand elle vit la mère, elle lui sourit de son large sourire endormi et répéta : « Un petit-fils..., j'ai sept petits-enfants sans compter les filles, et pas un de trop... » Après quoi elle retomba dans un sommeil paisible.

L'annonce de ce grand événement servit à remplir des jours qui, sans cela, eussent paru bien vides, car le jeune garçon ne revenait pas. Cette nouvelle joie vint adoucir l'attente de la mère ; elle se dit qu'il reparaîtrait bien un jour ou l'autre et cessa de s'en préoccuper.

Mais son bonheur était incomplet, comme chacune de ses joies, songeait-elle. Il fallait toujours qu'une chose se mît en travers. Cette fois-ci elle redoutait la naissance d'une fille, et elle murmurait : « Ce serait bien là ma perpétuelle malchance ! »

Elle était si inquiète qu'elle eût désiré adresser une prière à la puissante petite déesse qu'elle connaissait, l'amadouer par une offrande : une nouvelle robe rouge, des souliers neufs ou quelque autre don afin de la décider à faire de l'enfant un fils. Mais la mère craignait de rappeler à la déesse un ancien péché que, malgré ses souffrances, elle n'avait pas encore racheté, en sorte que si elle se présentait au temple, pour demander un petit-fils, la déesse pourrait peut-être, en se souvenant, frapper l'enfant dans le sein maternel. La vieille femme se dit tristement : « Mieux vaut ne pas me montrer. Si je reste ici, sans annoncer la venue de cet enfant à la déesse, elle m'oubliera sans doute, car il y a bien longtemps que je ne vais plus voir les dieux, je ne dirai rien et ils croiront à la venue d'un mortel quelconque et non à celle d'un héritier dans ma famille. Il faut se fier à la chance, espérer un fils. »

La mère devenait inquiète et morose. Elle se disait que l'arrivée de cet enfant avait beau être une joie, c'était aussi une porte ouverte au chagrin, comme à toutes les naissances ; on risque de recevoir un petit être mort, mal bâti, idiot, aveugle, ou bien une fille ! En songeant à ces calamités possibles, la mère se prenait à haïr les dieux et les déesses qui ont le pouvoir de nuire aux humains et elle murmurait : « Ma punition n'a-t-elle pas été hors de proportion avec le simple péché que j'ai commis ? Qui aurait pu croire que les dieux étaient au courant de ce que j'ai fait ce jour-là ? Sans doute est-ce à cause du vieux dieu de la chapelle. J'ai eu beau lui couvrir la face, il aura senti le péché près de lui et trouvé le moyen d'en informer la déesse. A l'avenir, je me tiendrai éloignée des dieux, bien que je ne sois qu'une vieille créature pécheresse, car, même si je le voulais, je ne sais pas comment je pourrais expier davantage ma faute. Je suis bien sûre que, si l'on mesurait les joies et les chagrins que j'ai eus dans la vie, les chagrins entraîneraient la balance avec le poids de la pierre et mes joies ne pèseraient pas plus que des duvets de chardons, pauvres petites joies misérables ! Je n'ai pas donné naissance à l'enfant, et j'ai vu ma fille aveugle, morte. Le malheur ne rachète-t-il donc jamais rien ? Oui, ma vie a été remplie de douleurs, et en dehors de cela j'ai toujours été pauvre, mais les dieux n'ont aucune justice ! »

Elle réfléchissait dans sa tristesse et avait deux

causes de tourment : la crainte de voir naître, soit un enfant infirme, soit une fille, et l'inquiétude pour son cadet qui ne voulait pas revenir. Quelquefois, elle se disait que son existence entière n'était faite que d'attente. Autrefois elle avait attendu son homme, sans qu'il fût revenu, et à présent elle attendait son fils et des petits-fils. Sa vie était ainsi faite, une pauvre chose !

Cependant il lui fallait espérer, et, quand un voisin allait en ville, elle lui demandait à son retour :

« Avez-vous vu mon garçon aujourd'hui ? », et elle parcourait le hameau, d'une maison à l'autre, interrogeant : « Qui a été en ville aujourd'hui ? », et si quelqu'un en revenait, elle répétait : « Avez-vous vu mon garçon aujourd'hui ? »

Pendant ces jours d'incertitude, hommes et femmes dans le village s'habituèrent à cette question ; quand ils levaient la tête ils la voyaient, appuyée sur le bâton que son fils lui avait taillé dans une branche de leurs arbres, et ils l'entendaient demander de sa vieille voix tremblante : « Avez-vous vu mon garçon aujourd'hui ? » Ils lui répondaient avec une certaine bonté : « Non, non, bonne mère, comment le rencontrerions-nous dans le vulgaire marché où nous allons, lui étant ce qu'il est, et gagnant sa vie, dites-vous, avec des livres ? »

Elle se détournait, déçue, sa voix retombait, elle murmurait : « Je ne sais pas bien, je crois qu'en effet il s'occupe de livres. » Et on disait en riant pour lui faire plaisir : « Si nous passons un jour devant une librairie, nous entrerons pour voir s'il est derrière le comptoir. »

Et la mère revenait ; il ne lui restait qu'à reprendre son attente et à se demander si les mites dévoraient les peaux de mouton.

Mais un jour, après un grand nombre de lunes, des nouvelles lui parvinrent. La mère était assise près de la porte, selon son habitude ; elle tenait sa longue pipe entre ses doigts, car elle venait de terminer son premier repas. Assise, elle observait la netteté avec laquelle le soleil matinal s'élevait au-dessus des monts arrondis. Elle le guettait, espérant recevoir sa chaleur, car cet automne il faisait froid au début de la journée. Tout à coup elle vit le fils aîné de son cousin sortir de chez lui et s'avancer vers son fils à elle, occupé à renouer la lanière d'une sandale qu'il avait fait craquer. Le cousin lui dit quelques mots à voix basse.

La mère fut très surprise, ayant vu l'homme partir pour la ville le matin même, à l'aube, car elle se levait avant le jour ; c'était une vieille habitude, elle ne restait jamais au lit à moins d'être malade. Elle avait remarqué que son jeune cousin emportait une charge d'herbe fraîchement coupée. Etonnée qu'il revînt si tôt, elle se préparait à l'appeler pour lui demander s'il avait tout vendu quand elle vit son fils relever la tête et dire avec une expression d'épouvante :

« Mon frère ! »

Oui, cette exclamation parvint aux bonnes

oreilles de la mère, car la vieille femme n'était pas sourde et elle cria vivement : « Qu'arrive-t-il à mon petit garçon ? »

Mais les deux hommes continuaient à se parler d'un ton grave et préoccupé ; ils se regardaient avec des airs si anxieux que la mère n'y tint plus, elle s'achemina clopin-clopant jusqu'à eux, frappa de son bâton la terre battue et demanda : « Que se passe-t-il pour mon fils ? »

Le cousin s'éloigna en silence et le fils aîné dit en hésitant : « Mère, il y a quelque chose qui ne va pas, j'ignore... il faut que j'aille en ville... je verrai et je te raconterai... »

Mais la mère ne voulut pas le lâcher. Elle le retint avec des cris encore plus forts : « Tu ne partiras pas sans me le dire ! »

Au son de cette voix, la jeune femme s'avança pour écouter : « Obéis-lui, fit-elle, sans quoi ta mère sera malade de colère. »

Alors le fils articula péniblement : « Mon cousin a vu... Il a vu mon frère parmi beaucoup d'autres. Il avait les mains attachées derrière son dos par des cordes de chanvre, les vêtements en lambeaux, et il passait sur le marché où mon cousin vendait son herbe. Il était au milieu d'une longue file de vingt ou trente personnes et, quand il a vu mon cousin, il a détourné les yeux. Mon cousin a posé des questions et les gardes qui formaient l'escorte ont répondu qu'il s'agissait de communistes qu'on emmenait en prison pour les mettre à mort demain... »

Après ces mots, ils restèrent tous les trois à se

regarder fixement ; la mâchoire de la vieille se mit à trembler et ses yeux se promenèrent d'un visage à l'autre, puis elle dit : « J'ai déjà entendu prononcer ce mot, mais je ne sais pas ce qu'il signifie. »

Le fils répondit lentement : « J'ai demandé à mon cousin, il avait interrogé le garde qui s'était mis à rire en disant que c'est un nouveau genre de voleurs qu'on a de nos jours. »

La mère se souvint du paquet demeuré si longtemps caché sous son lit, elle se mit à gémir tout haut et, rejetant sa veste sur sa tête, elle sanglotait : « J'aurais dû comprendre cette nuit-là ! Ce paquet sous mon lit, c'est ce qu'il venait de dérober... »

A ces mots, son fils et sa bru s'emparèrent d'elle, et lançant des coups d'œil autour d'eux, ils l'entraînèrent bien vite dans la maison, puis ils lui demandèrent : « Mais que veux-tu dire, notre mère ? »

La belle-fille souleva le rideau et regarda son mari. Il s'avança et la mère montra le paquet du doigt en sanglotant de plus belle :

« Je ne sais pas ce qu'il contient..., il l'a apporté ici une nuit... Il m'a demandé de garder le secret pendant un ou deux jours... et il n'est pas venu... il n'est jamais revenu... »

L'homme se redressa et alla doucement fermer la porte qu'il barra, tandis que la femme suspendait un vêtement devant la fenêtre. Ensemble ils retirèrent le paquet et défirent les cordes.

« Il m'a affirmé que c'étaient des peaux de

mouton », murmura la mère, le regard fixé sur le colis.

Ses enfants ne lui répondirent pas, ils n'avaient aucune confiance, cela pouvait être tout autre chose, et d'après le poids, le contact dur, ils se demandèrent s'ils allaient trouver de l'or.

Mais il n'y avait que des livres : beaucoup de livres, petits, et imprimés en noir, puis un grand nombre de feuilles de papier dont quelques-unes étaient illustrées d'étranges scènes de mort et de sang ; on voyait des géants battre de petits hommes, trancher leurs membres avec une lame de couteau. Devant ce spectacle, ils restèrent bouche bée et se regardèrent tous les trois sans comprendre, ils se demandaient quelle raison peut entraîner un homme à voler et à cacher du simple papier marqué d'encre.

Ils avaient beau considérer ces livres, ils n'en découvraient pas le sens ; aucun d'entre eux n'était capable d'en lire un mot, ni même de savoir ce que signifiaient ces illustrations ; ils voyaient simplement qu'il s'agissait de tueries, d'hommes poignardés et mourants, de gens coupés en morceaux et de ces spectacles sanglants et atroces comme il n'en existe que chez les brigands.

Ils étaient terrifiés tous les trois, la mère à cause de son fils, les deux autres pour eux-mêmes, craignant qu'on ne vînt à découvrir ces objets chez eux. L'homme dit : « Rattachez-les jusqu'à ce soir et nous les emporterons pour les brûler à la cuisine. »

Mais sa femme était plus avisée que lui : « Non,

nous ne pouvons pas les brûler tous à la fois, dit-elle, on verrait l'épaisse fumée et on se demanderait ce que nous faisons. Il vaudra mieux que je les brûle petit à petit, jour après jour, comme si j'employais de l'herbe, en cuisant les aliments. »

La vieille mère ne se préoccupait guère de cela. Elle savait simplement que son fils était tombé en de mauvaises mains et elle demanda à son aîné : « Que vas-tu tenter, oh ! fils, pour ton petit frère, et comment le trouveras-tu ?

— Je sais où il est, dit l'homme lentement et comme à regret : Mon cousin m'a expliqué qu'on les a enfermés dans une certaine prison qui se trouve près de la porte Sud, à côté du terrain où l'on décapite. »

Puis il poussa un cri à la vue de sa mère devenue soudain livide. Il appela sa femme et ils soulevèrent la pauvre vieille et la posèrent sur son lit où elle demeura haletante, le visage d'une teinte d'argile, dans son effroi au sujet de son enfant. Elle étouffait et murmura : « Oh ! fils, n'iras-tu pas ?... ton frère ! »

L'aîné mit ses craintes personnelles peu à peu de côté et dit par pitié pour sa mère : « Oh ! oui, j'y vais, j'y vais. »

Il changea de vêtements, se chaussa, et le temps parut à la mère d'une longueur insupportable. Lorsque, enfin, son fils aîné fut prêt, elle l'appela et attira sa tête contre elle pour lui dire tout bas, dans l'oreille : « Mon fils, n'épargne pas l'argent. S'il est vraiment en prison, il faut payer pour l'en sortir. On y arrivera en payant. Personne n'a jamais entendu parler d'une prison dans laquelle on ne relâchait pas un homme pour de l'argent. J'en ai un peu, mon fils — dans un trou, ici — je ne le gardais que pour lui... prends-le... prends tout ce que nous avons. »

L'homme parut impassible. Il échangea un regard avec sa femme et répondit :

« Je donnerai tout ce que je pourrai, mère, à cause de toi. »

Elle s'écria : « Pour moi, cela n'a aucune importance, je suis vieille et prête à mourir. C'est pour lui. »

L'homme était parti, il passa prendre son cousin qui avait été témoin de l'affaire et ils s'acheminèrent ensemble vers la ville.

Il ne restait à la mère qu'à attendre de nouveau, mais ce fut bien la plus cruelle attente de sa vie. Elle ne pouvait pas rester immobile sur son lit et cependant elle était trop faible pour se lever. A la longue, sa bru eut peur de l'expression de la vieille femme, de son regard fixe, de sa façon de marmotter et de frapper ses mains sur ses maigres cuisses, et elle alla chercher le vieux cousin et sa femme. Le couple vint, gravement, et les trois vieillards demeurèrent ensemble.

La mère trouva vraiment un certain réconfort à les avoir près d'elle, car elle pouvait mieux leur parler qu'à d'autres. Elle pleurait et répétait :

« Si j'ai péché, n'ai-je pas souffert assez ? » Et encore : « Si j'ai péché, pourquoi est-ce que je ne meurs pas, moi ? Ce serait fini. Pourquoi me les prendre l'un après l'autre, et sans doute mon petit-fils aussi ? Non, je ne le verrai jamais ; je le sais, et ce ne sera pas moi qui disparaîtrai. » Une colère la prit à constater ses souffrances et elle pleura et cria dans sa fureur : « Mais où trouve-t-on une femme parfaite et sans péché ? Pourquoi aurais-je toute la peine pour ma part ? »

La cousine dit vivement, car elle craignait que la mère n'en vînt à trop parler dans sa souffrance : « Nous avons tous péché et si l'on devait nous juger d'après nos fautes, aucune de nous n'aurait d'enfants. Voyez mes fils et mes petits-fils et cependant je ne suis qu'une vieille vilaine créature, moi aussi, qui ne m'approche jamais d'un temple, et lorsqu'une nonne venait me trouver autrefois, afin de m'enseigner le chemin du ciel, je me trouvais trop occupée par mes petits pour l'écouter, et à présent que me voilà vieille et que de nouveau on veut m'apprendre la route avant qu'il ne soit trop tard, je réponds que j'ai passé l'âge de comprendre et que je n'irai pas au ciel si l'on ne veut pas m'accepter telle que je suis ! »

C'est ainsi qu'elle consolait la mère égarée de douleur, et le cousin ajouta à son tour :

« Patientez, bonne cousine, jusqu'à ce que nous sachions les nouvelles. Peut-être n'aurez-vous pas à souffrir après tout, car l'argent qu'ils ont emporté peut le libérer, ou bien mon fils se sera trompé et ce n'est pas le vôtre qu'il a vu les mains liées. »

La cousine prit le prétexte d'une chose et l'autre à surveiller chez elle, pour y envoyer la jeune femme, afin qu'elle fût hors de portée de voix, dans le cas où la pauvre vieille en dise plus long qu'elle ne voulait, ce qui eût été dommage, après avoir gardé le silence pendant de si longues années.

Ils attendirent ainsi. C'était moins pénible à trois qu'à un.

La mère n'aperçut les deux hommes qu'à la nuit tombante. Elle s'était traînée hors de son lit vers la fin de la journée pour s'asseoir sous le saule avec ses cousins. Les trois vieilles gens tenaient leurs regards fixés sur la petite rue du village. Seule, la cousine se laissait aller à de petits sommes ; le chagrin ne lui enlevait pas son envie de dormir.

Enfin, au coucher du soleil, la mère vit apparaître deux silhouettes. Elle se leva, s'appuya sur son bâton, et s'abrita les yeux pour les garantir de l'or du couchant, puis elle cria : « Ce sont eux ! » et descendit la rue en boitillant. Son cri avait été si retentissant, son pas si rapide, que chacun sortit de chez soi. On était partout au courant de l'histoire, mais les habitants du hameau n'osaient pas aller ouvertement chez la mère ; une condamnation pouvait peser sur sa demeure à cause du second fils, et les compromettre eux aussi. Ils avaient vaqué à leurs travaux habituels pendant la journée, dévorés de curiosité mais craintifs à la manière des paysans qui se méfient lorsqu'on parle de prisons et de gouverneurs. Ils s'avancèrent pour observer de loin ce qui se passerait.

Le cousin se leva et suivit la mère. La cousine

l'eût bien accompagné, mais elle ne faisait jamais que les pas indispensables et, songeant qu'elle ne tarderait pas à connaître les nouvelles, elle décida de se ménager et de rester assise sur son banc. Du reste, elle était de celles qui se persuadent que les événements finissent toujours par s'arranger.

La mère courut et saisit le bras de son fils, en s'écriant : « Que savez-vous de mon petit garçon ? »

Mais tandis qu'elle posait la question, et que ses yeux vieillis examinaient les visages des deux hommes, elle comprit que le malheur y était inscrit. Ils se regardaient mutuellement, et son fils lui dit enfin, gravement : « Mère, mon frère est en prison. » Puis ils se regardèrent de nouveau, le cousin se gratta la tête, la détourna, et prit l'air imbécile de quelqu'un qui ne sait comment s'exprimer. Alors le fils dit encore : « Mère, je doute qu'on puisse le sauver — lui et vingt autres sont condamnés à mort et doivent être exécutés demain matin. »

La mère poussa un cri strident : « A mort ! » Puis une seconde fois elle hurla : « A mort ! »

Et elle serait tombée si on ne l'avait soutenue.

Les deux hommes la conduisirent dans la maison la plus proche, lui avancèrent un siège, et l'aidèrent à s'asseoir ; elle se mit à gémir et à pleurer comme une enfant, sa vieille bouche tremblait, ses larmes coulaient tandis qu'elle frappait ses seins desséchés avec ses poings fermés en criant et en accusant son fils aîné :

« Tu ne leur as pas offert assez — je t'ai dit que

j'avais ma réserve — pas si mince après tout, quarante pièces d'argent, et puis les deux petites qu'il m'a données la dernière fois ! Elles sont là qui attendent. » Et lorsque la mère vit son fils en face d'elle qui baissait la tête tandis que la sueur lui perlait au front et à la lèvre, elle lui cracha à la figure de fureur et lui dit : « Tu n'en auras pas le moindre sou s'il meurt, je ne te donnerai rien, je jetterai plutôt mon argent à la rivière ! »

Le jeune cousin vint à la rescousse ; dans un souci de paix à cette heure de détresse et devant ce cas désespéré, il parla, et dit, le visage tout crispé :

« Ma tante, ne le blâmez pas. Il a offert plus du double de votre réserve. Il a offert cent pièces d'argent pour son frère ! Aux grands et aux petits, dans cette geôle, il offrait des pourboires. Il montrait de l'argent aux uns et aux autres, mais il n'a même pas obtenu la permission de voir votre fils.

— C'est qu'il n'a pas offert assez, cria la mère. On n'a jamais entendu parler de gardiens de prison qu'on n'achète pas ! Mais je vais aller de suite chercher cet argent. Oui, je creuserai, je le prendrai, toute vieille que je suis, je trouverai mon garçon, je le ramènerai à la maison et il ne me quittera plus ; ils diront ce qu'ils voudront. »

Encore une fois les deux hommes s'interrogèrent du regard et le fils supplia silencieusement son cousin d'intervenir de nouveau. Celui-ci reprit donc :

« Bonne tante, ils ne vous permettront pas de le voir. Ils n'ont jamais voulu nous laisser entrer, même quand nous montrions notre argent. Ils prétendent que le gouverneur est très monté contre ce genre de crime ; c'est un crime nouveau ces temps-ci et particulièrement haïssable.

— Mon fils n'a jamais commis de crime, s'écria fièrement la mère, et elle leva son bâton qu'elle brandit devant le jeune homme. Il y a un ennemi par ici qui paye plus que nous ne pouvons le faire, afin de le maintenir en prison. »

Elle promena son regard autour d'elle sur les gens assemblés qui, bouche bée, les yeux fixes et la mâchoire pendante, buvaient les nouvelles. Et elle leur cria : « L'un de vous a-t-il jamais entendu parler d'un crime que mon petit garçon aurait commis ? »

Ils se regardèrent et chacun détourna les yeux sans mot dire. La mère vit leurs airs de doute et son cœur se brisa. Elle se remit de nouveau à pleurer et leur cria : « Oui, vous le détestez parce qu'il était si joli — supérieur à vos fils noirs qui ne sont que des rustres. — Oui, vous haïssez tous ceux qui valent mieux que vous... », et elle se leva, tituba et rentra en pleurant amèrement.

Mais une fois chez elle, entourée seulement de ses cousins et de leurs enfants, elle s'essuya les yeux et s'adressa à l'aîné d'un ton plus tranquille, mais avec une sorte de fièvre : « Nous laissons passer un temps précieux. Dis-moi tout, car nous pouvons encore le sauver. Nous avons la nuit devant nous. Quel était son véritable crime ? Nous prendrons ce que nous possédons et nous le sauverons. »

Un coup d'œil s'échangea entre le mari et la femme, sans méchanceté aucune, mais leur patience semblant à bout. Alors le fils répondit à sa mère : « Lui, on l'appelle un communiste. Un mot nouveau — je l'ai entendu souvent et quand j'ai cherché à avoir des explications, j'ai cru comprendre qu'il s'agissait de brigands qui se mettent par bandes. J'ai interrogé le gardien devant la prison, celui qui tient un fusil en travers de son bras, et il m'a répondu : « C'est quelqu'un qui irait jusqu'à vous prendre vos terres et qui complote contre l'Etat, en sorte qu'il doit être mis à mort avec ses compagnons. » Oui c'est cela dont il est coupable. »

La mère écoutait de toutes ses forces. La clarté de la chandelle tombait sur son visage luisant de larmes, et elle répondit stupéfaite, d'une voix qui tremblait et qu'elle cherchait en vain à affermir : « Mais je ne crois pas que cela soit possible. Il n'a jamais prononcé un mot semblable devant moi. Je n'ai jamais entendu parler de ce crime. Tuer un homme, dévaliser une maison, laisser mourir de faim un parent, voilà des crimes ! Mais par quel moyen peut-on dérober des terres, les rouler comme une toile, les emporter avec soi et les cacher ?

— Je n'en sais rien, mère », dit le fils. Il était assis sur un petit escabeau, tête baissée, et il laissait pendre ses mains inertes entre ses genoux. Il portait encore son unique robe et en avait relevé un pan dans sa ceinture, car il n'était pas habitué à ce genre de vêtement. Il enfonça le coin de sa robe un peu plus solidement et prononça lentement : « Je ne sais pas ce qu'on a entendu dire encore. On causait beaucoup en ville, car il y a tellement d'exécutions demain, qu'on en a fait un jour férié. Sais-tu quelque chose de plus, mon cousin ? »

Le cousin se gratta le menton, fit un effort pour avaler, regarda fixement les visages qui l'entouraient dans la chambre et dit :

« Les gens de la ville parlaient énormément, mais je n'osais pas poser trop de questions car, lorsque j'ai voulu m'informer au sujet de ce tohu-bohu, les gardiens de la prison se sont tournés vers moi et m'ont demandé : « En êtes-vous, vous aussi ? Alors qu'est-ce que cela peut vous faire s'ils sont mis à mort ? » Aussi, je n'osais pas avouer que j'étais le cousin de l'un des condamnés. Nous avons vu un des gardiens en chef auquel nous avons offert de l'argent en lui demandant de nous indiquer un endroit privé où nous pourrions lui parler. Il nous a conduits dans un coin de la prison, derrière sa demeure. En lui expliquant que nous étions d'honnêtes paysans avec quelques biens et des terres louées, nous lui avons dit qu'une lointaine parenté nous reliait à l'un des prisonniers et que nous voudrions le sauver à cause de l'honneur de la famille, car personne de notre nom n'avait encore péri sous la lame du bourreau. Mais nous étions pauvres et ne pourrions pas donner une grosse somme. Le geôlier a pris l'argent et nous a demandé de lui décrire le jeune homme. D'après nos explications, il a répondu : « Je crois que je vois celui de qui vous parlez. Il s'est senti malheureux en prison et je pense qu'il aurait fait des aveux complets, sans une jeune fille à ses côtés, qui le rend brave. Je n'en ai jamais rencontré d'aussi hardie. Il y en a comme cela : dures, audacieuses et indifférentes au genre de mort qui les attend, et à son heure.

« Mais le gars, lui, a peur. Je me demande s'il comprend ce qu'il a fait et pourquoi il meurt. Il a l'air d'un simple garçon de campagne dont ils se sont servis en lui promettant de belles choses. On a dû le pincer avec certains livres sur lui qu'il distribuait. Ces livres contenaient de mauvaises doctrines sur le renversement de l'Etat et sur le partage égal de l'argent et de la propriété. »

A ces mots, la mère se tourna vers son fils et se remit à pleurer et gémit : « Je savais bien que nous aurions dû lui abandonner quelques terres. Nous pouvions en louer un peu plus et lui en laisser une part. Mais mon aîné et sa femme gardaient tout et lui refusaient la moindre chose. »

Son fils allait répondre, mais le vieux cousin lui dit avec calme : « Ne réponds pas, mon garçon, laisse ta mère mettre le blâme sur toi et se décharger. Nous savons tous ce que tu es, et ce qu'était ton frère. Il détestait le labeur des champs et n'importe quel travail. »

Le fils garda le silence et son jeune cousin continua :

« Nous avons demandé au gardien quelle serait la somme nécessaire pour libérer le petit, mais il a secoué la tête et a prétendu que, s'il s'agissait du fils d'un homme riche et puissant, on le sauverait sans doute avec de l'argent, mais personne ne consentirait à risquer sa vie pour un paysan pauvre, quoi que nous puissions offrir ; en sorte qu'il sera sûrement exécuté. »

La mère se mit à hurler : « Périra-t-il parce qu'il est mon fils et que je suis pauvre ! Nous possédons un bien et nous le vendrons ce soir même, il y a des gens au hameau... »

Mais l'aîné s'interposa lorsqu'il s'agit de ses terres : « Et comment vivrons-nous ? demanda-t-il. C'est à peine si nous joignons les deux bouts, et si nous devons louer des champs en plus grand nombre, aux taux ruineux d'aujourd'hui, nous serons des mendiants. Tout ce que nous possédons se réduit à ce lopin de terre ; je ne le vendrai pas, mère. Il m'appartient — je le garde. »

Sa femme était restée assise, très tranquille, son visage pâle et grave ne laissait rien paraître. Elle n'avait pas prononcé un seul mot de la soirée ; à présent, ele s'avança et dit : « Il faut songer au fils que je porte. »

Et l'homme ajouta pesamment : « Oui, c'est à lui que je pense. »

La vieille mère garda le silence. Elle se tut et pleura un moment, puis ensuite, chaque fois que dans la nuit quelqu'un éleva la voix, elle ne répondit plus que par des larmes.

Quand les premières lueurs de l'aube parurent, car ils avaient veillé toute la nuit, la mère rassembla d'étranges forces au fond d'elle-même et déclara : « J'irai moi-même. J'irai encore une fois à la ville et j'attendrai pour revoir mon petit garçon, s'il doit sortir pour mourir. »

Et tous la supplièrent de rester, posant leurs mains sur son bras, et le frère aîné lui dit instamment : « Mère, j'irai le chercher — après — car si tu assistes à cette chose toi-même, tu mourras. »

Mais elle répondit : « Eh bien quoi, si je meurs ? »

Elle se lava la figure, peigna les rares cheveux gris qui lui restaient et mit une veste propre, comme chaque fois qu'elle allait en ville, puis elle dit simplement : « Va chercher l'âne de mon cousin. Vous me le prêtez bien, n'est-ce pas ?

— Oh ! oui », répondit l'homme, impuissant et triste.

Le fils aîné et son cousin allèrent chercher l'âne ; ils installèrent la vieille mère sur son dos et marchèrent à ses côtés ; le fils tenait une lanterne à la main, car l'aube n'était pas encore assez claire pour leur permettre de se diriger.

La mère se sentait faible ; calme et lavée par ses pleurs, elle allait sans savoir ce qu'elle faisait, cramponnée cependant au dos de l'âne. Elle penchait la tête et ne leva pas les yeux une seule fois pour contempler l'orient ; son regard plongeait dans la pâle poussière du chemin à peine visible dans l'obscurité. Les hommes gardaient le silence, eux aussi, à cette heure grave, tandis qu'ils suivaient la route qui serpentait au midi jusqu'à la porte du Sud, fermée encore à cette heure matinale.

Un grand nombre de personnes attendaient là, car le bruit de cette exécution avait circulé dans les campagnes et beaucoup venaient y assister avec leurs enfants, par curiosité. Dès que les portes furent ouvertes, ils se pressèrent à l'intérieur, la mère sur son âne et les deux hommes se dirigèrent près du mur de la ville vers un terrain au centre d'un espace découvert. A ces premières lueurs de l'aube, une grande foule s'y pressait déjà, rendue silencieuse à l'approche de ce vaste spectacle de mort. Des petits enfants s'accrochaient à leurs parents, en proie à la peur sans nom d'une chose inconnue ; des bébés criaient, on étouffa leurs pleurs et la foule se tut ; elle attendait, avide, savourait d'une manière étrange et haïssait tout à la fois cette vision d'horreur qu'elle désirait ardemment contempler.

La mère et les deux hommes ne s'attardèrent pas dans cette cohue. La mère dit tout bas : « Allons à la grille de la prison et restons-y. »

Au fond de son misérable cœur, elle conservait l'espoir qu'un miracle se produirait dès qu'elle verrait son fils ; un moyen de le sauver lui apparaîtrait sûrement.

L'un des hommes dirigea la tête de l'âne vers la prison, et le portail se dressa devant eux, percé dans la haute muraille hérissée de morceaux de verre. Un garde était couché là tout de son long, une lanterne presque consumée brûlait à côté de lui, elle répandait un tas de suif fondu, d'un rouge de sang, mais le vent froid s'élevant avec l'aube vint éteindre la chandelle qui coulait. Ils attendirent tous les trois sur la route poussiéreuse, et bientôt ils entendirent des bruits de pas nombreux résonner sur les dalles de pierre. Il y eut un cri : « Ouvrez les portes ! »

Les gardes se relevèrent vivement et se tinrent très droits, de chaque côté de la sortie, leurs armes raides et dures plaquées contre leurs épaules. Alors, les battants s'ouvrirent.

Le regard tendu, la mère s'efforçait de voir son fils. Plusieurs prisonniers passèrent, des êtres jeunes, liés deux par deux, leurs mains nouées ensemble par des courroies de chanvre et rattachées à celles du couple précédent. Au premier abord, il ne semblait y avoir que des hommes, cependant des filles se trouvaient parmi eux, difficiles à discerner avec leurs cheveux rasés et leurs vêtements masculins. On ne les distinguait que de près, à leurs petits seins et à leurs tailles minces, car leurs visages étaient aussi farouches et hardis que ceux des hommes.

A mesure que les condamnés s'avançaient, la mère les examinait un à un, et, tout à coup, elle vit son fils. Oui, il marchait tête baissée, lié à une jeune fille, leurs mains fortement attachées.

Alors la mère se précipita en avant, tomba aux pieds du jeune homme, les entoura de ses bras et poussa un grand cri : « Mon fils ! »

Elle leva les yeux vers sa figure d'une extrême pâleur, aux lèvres décolorées et terreuses, au regard terne. Quand il vit sa mère, il blêmit encore davantage et se serait effondré s'il n'avait été lié à la jeune fille ; elle tira sur les cordes et l'empêcha de tomber ; elle lui défendit de s'arrêter, et, quand elle aperçut la vieille femme en cheveux blancs aux pieds de ce garçon, elle éclata de rire, un rire effronté et sans joie, et elle cria très haut d'une voix stridente : « Camarade, souviens-toi que tu n'as plus ni père, ni mère, ni rien qui te soit cher, en dehors de notre cause commune ! » et elle l'entraîna en avant.

Un garde accourut, ramassa la mère et la jeta sur un côté de la route, où elle resta étendue dans la poussière. La foule s'éloignait, hors de vue, vers la porte du Sud. Soudain, un hymne farouche retentit : ils allaient à la mort en chantant.

Enfin les deux hommes arrivèrent et voulurent relever la vieille femme, mais elle s'y refusa. Elle geignait, couchée sur le sol ; le chant étrange lui parvenait dans une sorte de transe et elle continuait seulement à gémir, sans rien discerner.

Ses plaintes ne durèrent pas longtemps, car un garde s'avança des portes de la prison et la frappa brutalement avec son fusil ; il rugissait : « Va-t'en, vieille sorcière ! » Les deux hommes eurent peur et obligèrent la mère à se mettre debout ; ils la replacèrent sur l'âne et reprirent lentement le chemin de leur maison. Mais, avant d'atteindre la porte du Sud, ils s'arrêtèrent un moment près du mur et attendirent.

Ils attendirent jusqu'à ce qu'une grande clameur s'élevât ; alors, les deux hommes échangèrent un regard et se tournèrent vers la vieille mère. Elle ne fit pas le moindre signe et il était impossible de savoir si elle avait entendu ou compris. Elle se tenait penchée sur sa bête, les yeux fixés au sol, sous les pattes de l'âne. Après avoir écouté ces cris, ils poursuivirent leur chemin. La foule se dispersait avec des exclamations. Les deux hommes se taisaient et la vieille mère ne semblait rien entendre, mais autour d'eux on disait bien haut :

« Ils ont eu une morte joyeuse et pleine de courage ; avez-vous vu cette fille hardie qui a chanté jusqu'à la fin ? Je vous affirme que, lorsque sa tête a roulé, elle chantait encore, une seconde après. » Et un autre racontait : « Avez-vous vu ce gars dont le sang rouge a giclé si loin qu'il a coulé sur le pied du chef et l'a fait jurer ? »

Quelques-uns riaient avec des figures congestionnées ; d'autres étaient pâles et, quand les deux hommes et la mère franchirent la porte de la ville, un jeune garçon, au teint couleur d'argile, se détourna et s'appuya contre le mur pour vomir.

Mais la mère ne soufflait mot et on ignorait si elle voyait ou entendait ces choses. Non, son fils était mort, bien mort, elle le savait, et l'argent était devenu inutile, comme tout le reste ; inutiles aussi les reproches, même si elle s'était sentie capable de blâmer. Elle ne désirait plus qu'une chose, rentrer chez elle, retrouver la vieille tombe là-bas, et y pleurer. Une pensée amère traversa son cœur ; elle ne possédait aucune tombe de ses morts, comme en ont les autres femmes, et sur lesquelles on va pleurer ; elle en était réduite, pour soulager son âme, à verser des larmes sur une vieille tombe inconnue. Mais cette douleur s'atténua à son tour ; elle ne souhaita que de pouvoir pleurer afin de moins souffrir.

Lorsqu'ils se trouvèrent devant leur porte et qu'elle descendit de l'âne, elle supplia son fils aîné : « Emmène-moi derrière le hameau... J'ai besoin de pleurer un moment. »

La cousine était là et l'entendit. Elle s'essuya les yeux sur ses manches, secoua sa vieille tête et dit avec bonté : « Oui, laisse-la faire, pauvre créature ; c'est ce qui lui sera le plus bienfaisant. »

Et le fils conduisit silencieusement sa mère sur la tombe ; pour la faire asseoir, il lui prépara dans le gazon une place bien unie et arracha quelques herbes afin de la rendre plus moelleuse. Elle s'assit, appuya sa tête contre la tombe et regarda son fils d'un air hagard, en disant : « Va-t'en, laisse-moi pleurer un moment », et, comme il hésitait, elle répéta avec passion : « Laisse-moi, car si je ne pleure pas, je mourrai ! »

Il s'en alla, mais il n'aimait pas à la laisser seule ainsi et il lui cria : « Je reviendrai bientôt te chercher, mère. »

La mère. assise dans l'herbe. vit croître la brillante lumière sur ce jour d'oisiveté. Elle contempla le soleil qui se répandait, vigoureux et doré, sur tout le pays, comme si personne n'était mort ce matin-là. Les champs étaient mûrs, couverts de moissons tardives avec leurs grains bien remplis, leurs feuilles jaunes, et le soleil jaune lui aussi, ruisselait sur les terres. Pendant ce temps, la mère attendait que sa douleur vînt en montée de larmes soulager son cœur brisé. Elle repassa sa vie, elle songea à ses morts et au peu de joie dont elle pouvait se souvenir après tant d'années, et son chagrin monta en elle ; elle s'y abandonna, sans colère, sans lutte, elle permit à la douleur de l'envahir à sa guise et elle en prit sa pleine mesure. Elle se laissa broyer contre la terre même, elle se sentit inondée par cette douleur qu'elle acceptait, et, tournant sa face contre le ciel, elle cria dans son agonie : « Ai-je enfin expié ? Ne suis-je pas assez punie ? »

Alors les larmes jaillirent ; elle posa sa vieille tête sur la tombe, enfouissant son visage parmi les mauvaises herbes, et ainsi elle pleura.

Elle pleura sans arrêt, toute cette belle matinée. Elle se souvint de chaque petit chagrin et de chaque grande douleur, de sa querelle avec son mari, du départ de celui-ci, de ce qu'il n'y avait plus de petite aveugle pour la tirer de son désespoir et la ramener à la maison, de la mine qu'avait son fils attaché à cette fille farouche ; et elle pleura sur toute sa vie.

Tandis qu'elle pleurait, son fils arriva en courant. Oui, il courait à travers la campagne parsemée de rayons, et tout en courant il faisait des signes avec ses bras, et il lui criait quelque chose qu'elle ne comprenait pas dans l'égarement de sa douleur. Elle leva la tête pour l'écouter et elle l'entendit qui disait : « Mère... mère », et encore plus fort : « Mon fils est né, ton petit-fils, mère ! »

Aucun message, tout le long de sa vie, ne lui

était parvenu avec cette netteté. Ses larmes s'arrêtèrent sans qu'elle s'en doutât. Elle se leva, trébucha, et s'avança vers son fils en s'écriant : « Mais quand cela ? quand donc ?

— A l'instant, fit-il en riant, à l'instant. Un garçon. Je n'ai jamais vu de plus gros bébé — et je te jure qu'il crie comme un gosse d'un ou deux ans. »

Elle posa la main sur le bras de son fils et se mit à rire un peu, pleurant à demi. Et, appuyée sur lui, elle força ses vieilles jambes à se hâter sans songer à elle-même.

Ils entrèrent tous les deux dans la maison, puis dans la chambre, où la jeune mère était couchée sur son lit. La pièce était remplie de femmes du hameau venues aux nouvelles ; la vieille commère elle-même s'y trouvait, la plus âgée de toutes à présent, très sourde, courbée en deux par les années, et, lorsqu'elle aperçut la mère, elle caqueta : « Quelle femme fortunée vous êtes, maîtresse ! Je croyais que la chance vous avait quittée, mais la voici qui reparaît : le fils de votre fils ; et moi qui n'ai que ma vieille carcasse pour mes peines ! »

Mais la mère ne prononça pas une parole et ne vit personne. Elle entra, s'avança vers le lit et baissa les yeux. L'enfant était là, elle n'en avait jamais vu de plus joli, de plus potelé, un garçon qui hurlait la bouche grande ouverte, comme le décrivait son père. Elle se pencha, le saisit dans ses bras et le sentit contre elle, chaud et fort, plein d'une vie nouvelle.

Elle l'examina des pieds à la tête, se mit à rire et le contempla de nouveau. Enfin, elle chercha des yeux sa cousine ; elle était là, venue au spectacle avec un ou deux de ses petits-enfants accrochés à elle. Quand la vieille mère eut découvert le visage qu'elle désirait voir, elle leva le petit enfant pour le montrer, et, indifférente à la foule qui remplissait la chambre, elle cria bien haut, riant avec des yeux gonflés de larmes récentes : « Regardez, cousine, je suis moins chargée de péchés que je ne l'avais cru... Voici mon petit-fils. »

## ŒUVRES DE PEARL BUCK

Prix Nobel 1938

*Aux Éditions Stock :*

Vent d'Est, vent d'Ouest.
La Mère.
La Première Femme de Yuan.
L'Exilée.
L'Ange combattant.
Le Patriote.
Un cœur fier.
Histoire d'un mariage
Pavillon de femmes.
Les Nouveaux Dieux
Pivoine.
Liens de sang.
D'ici et d'ailleurs.
La Fleur cachée.
Viens, mon bien-aimé.
Le Pain des hommes.
Le Dragon magique.
Les Mondes que j'ai connus

L'Enfant qui ne devait jamais grandir.

Impératrice de Chine.
La Lettre de Pékin.
Un long amour.
La Grande Aventure.
Es-tu le maître de l'aube?
Les Voix dans la maison.
L'Epouse en colère.
Une histoire de Chine.
Je n'oublierai jamais.
Une certaine étoile.
Terre coréenne.
Les Enfants abandonnés.
Contes d'Orient.
Le Roi fantôme.
La Vie n'attend pas.
Le Peuple du Japon.
Pour un ciel plus bleu.
Les deux Amis.

L'Histoire de Kim Christopher.

*Aux Éditions Payot :*

La Terre chinoise.
Les Fils de Wang Lung.

La Famille dispersée.

IMPRIMÉ EN FRANCE PAR BRODARD ET TAUPIN
6, place d'Alleray - Paris.
Usine de La Flèche, le 05-11-1973.
6196-5 - Dépôt légal n° 2858, 4e trimestre 1973.
1er Dépôt : 1er trimestre 1959.
LE LIVRE DE POCHE - 22, avenue Pierre 1er de Serbie - Paris.
30 - 21 - 0416 - 18

30/0416/5